CU00863731

Sophie von Maltzahn

Grenzwerte/1928

Roman

Sophie von Maltzahn, geboren 1984, schrieb nach dem Studium des Kunst- und Kulturmanagements für die Feuilletons der Welt, Zeit und Frankfurter Allgemeine Zeitung, u.a. als Redakteurin und Autorin des F.A.Z.–Blogs „Ding und Dinglichkeit". Im Frühjahr 2014 erschien ihre Kurzgeschichte „Die Wucht einer Idee" im literarischen Stadtführer Frankfurt Walking im Michason & May Verlag. Mit „Grenzwerte/1928" liegt nun ihr Debütroman vor.

#ich danke allen, die sich von diesem buch – genau wie ich – haben wahnsinnig machen lassen. ich danke allen, die diesem werk die daumen gedrückt haben. ich danke allen, die mit mir gebangt haben, es könnte niemals fertig werden. und mit deren hilfe es *dann doch* zustande kam.

Bibliografische Information der Deutschen
Nationalbibliothek: Die Deutsche
Nationalbibliothek verzeichnet diese Publikation in
der Deutschen Nationalbibliografie; detaillierte
bibliografische Daten sind im Internet über
www.dnb.de abrufbar.

© 2014 Sophie von Maltzahn
Herstellung und Verlag:
BoD – Books on Demand, Norderstedt
ISBN: 9-783735-758422
Umschlaggestaltung: Honrath & Esterházy OG
Autorenporträt: René Antonoff
Illustration: „Auf der Flucht" (1931) von Hannah
Höch, VG Bildkunst 2014

Wir haben uns dem Tage übergeben
Und treiben arglos spielend vor dem Wind,
Wir sind sehr sicher, dorthin zu entschweben,
Wo man uns braucht, wenn wir geworden sind.

(Ernst Wilhelm Lotz)

1

Alles begann damit, dass ich gegen meinen Willen an einem Seminar teilnahm, das auf einem benachbarten Gut stattfand. Bei Veranstaltungen dieser Art versuchte man uns Militärgeschichte und Finanzpolitik beizubringen. Vor allem aber dienten sie dazu, den Jungadel auf Spur zu bringen, damit er niemals nachlassen würde, sich der hohen/ Geburt anzudienen.

Ich kannte die Parolen von Führergeist und Heimatstreue zur Genüge und langweilte mich. Hinter dem referierenden Hausherrn hingen große Ahnenporträts an einer mit dunklem Eichenholz vertäfelten Wand. Ich begann die Gesichter miteinander zu vergleichen. Die Augen der Ahnen drückten allesamt ungesund tief in die Schädel, die Gesichter glichen sich in einem fliehenden Kinn, alle hatten platte Nasen. Mein Blick wechselte zum Hausherrn, ihrem Nachkommen. Hier hörte die Ähnlichkeit abrupt auf. Sein Blick war stechend, der Kiefer breit, das Haar blickdicht gelockt, trotz seines Alters. Das alles machte auf mich den Eindruck, als wäre hier frisches Blut in die Linie gekommen; auf welche Art auch immer.

Der Hausherr räusperte sich, trank einen Schluck Wasser und blätterte eine Seite seines Manuskriptes um. Dann verkündete er, dass er seinen ersten Gedanken nun abgeschlossen hatte, bevor es aber weiterging, er einmal noch die gesammelten Thesen wiederholen wollte, zur besseren Erinnerung. Damit hatte er mich erneut verloren. Das Einzige, was mich in der nächsten halben Stunde noch unterhalten konnte, waren drei Fliegen, die

1

unablässig den schweißigen Nacken meines Vordermanns ansteuerten. Er versuchte zwar die Insekten zu verjagen, doch sie kehrten immer wieder. Darüber wurde der Kamerad so ärgerlich, dass er bei einer der schnellen Bewegungen seinen strengen Scheitel zerlegte. Er versuchte hektisch, seine Frisur wieder in Ordnung zu bringen, und lenkte damit die Aufmerksamkeit des Hausherrn in unsere Richtung. Unweigerlich setzte mein Nachbar nun ein konzentriertes Gesicht auf und tat, als wäre das Richten seiner Frisur nur eine beiläufige Geste, die er während intensiven Zuhörens gar nicht wahrnahm. Wenigstens war ich nicht der einzige Heuchler hier, dachte ich.

Minuten später erwischte mich Jochen beim Tagträumen. Jochen war der älteste Sohn des Hausherrn und saß am Kopfende des Tisches, von wo aus er die Zuhörer genau im Blick hatte. Er schaute mich böse an, wobei sich seine Stirn in schmale Falten legte. Dann aber schien er sich an etwas zu erinnern, das ihn milde stimmte, und zwinkerte mir aufmunternd zu. Mir war selbst das Gutgemeinte daran unangenehm. Ich wollte nicht auffallen, wollte nicht einmal hier sein. Aber es war nicht zu ändern gewesen. Man hatte mich mit besonderer Aufmerksamkeit zu diesem Treffen gebeten. Jochen hatte es sogar für nötig empfunden, telefonisch bei uns auf Schloss Plasbalg nachzufragen. Immerhin musste ich seinen Anruf nicht selbst entgegennehmen. Meine älteste Schwester Luise hörte das Klingeln als Erste, was ungewöhnlich war, schließlich schellte der Apparat so leise, dass man ihn schon im nächsten Salon kaum hören konnte.

Mutter hatte anfangs noch dafür plädiert, das Telefon in einer Ecke der Eingangshalle anzuschließen, aber mein Vater hatte seine Anschaffung nicht der allgemeinen Praktikabilität opfern wollen; schließlich hatte er wichtige Gespräche zu tätigen, und die wollte er zum einen nicht mit dem Gesinde teilen, das im Foyer jederzeit vorbeikommen konnte, und zum anderen in seinem Ledersessel führen, behaglich in Hausherrenpose.

In welcher Pose Luise mit Jochen telefoniert hatte, konnte ich nicht wissen. Trotzdem bekam ich noch genug von dem Anruf zu spüren, als Luise mit dem Couvert vor meiner Nase hin und her wedelte und wissen wollte, warum zum Teufel ich nicht auf die Einladung geantwortet hatte. Ich wollte aber nicht tun müssen, was ich nicht tun wollte, darunter fiel das Jugendtreffen der *Herrengesellschaft Mecklenburg*. Meine Gegenwehr blieb jedoch zwecklos, weil Luise Jochen bereits am Telefon versichert hatte, dass ich in jedem Fall teilnehmen würde und mein Antwortschreiben nur in der Post verlorengegangen sein könnte. Was war mir heute Morgen also anderes übriggeblieben, als folgsam auf mein Pferd zu steigen und zum Nachbargut zu reiten, wo das Treffen stattfand. Nun war ich hier und wollte es doch nicht sein.

Der Redner unterbrach seinen Vortrag und stellte nun Fragen, welche die Angesprochenen im Stehen und mit Hackenschlag zu beantworten hatten. Ich geriet in Panik. Ich wollte auf keinen Fall aufstehen und laut vor den anderen reden müssen. Damals sprach ich seit Monaten kaum noch ein Wort. Das wusste hier nur keiner. Das wussten nur meine Corpsbrüder in Göttingen. Ich versuchte mich hinter meinem Vordermann zu verstecken, doch das hatte wenig Sinn, weil er unruhig auf seinem Stuhl hin und her rutschte. Tu was, dachte ich, tu beschäftigt, mach dir Notizen, nimm dir den Stift! Meine Hand bewegte sich nicht. Auf mein Wort! Nimm dir jetzt den Stift und schreib irgendetwas auf! Doch meine Finger rührten sich nicht, – drauf geschissen, nichts als tote Knochen.

Mir fiel auf, dass der Hausherr mit seinen Fragen der Sitzordnung nach vorging. Zwei Fragen noch und ich wäre an der Reihe. Ich fixierte den Schreibblock meines Nachbarn, entzifferte hastig einzelne Wörter: Führerauslese, Versailler Peitsche, Drittes Reich. Ich überlegte noch, was man daraus für eine Antwort stricken könnte, da war es schon zu spät. Alle Augen waren auf mich gerichtet. Man erwartete, dass ich aufstand. Also stand ich auf. Schlug die Hacken zusammen.

Sagte nichts.

Der Hausherr wiederholte seine Frage. Sie war nicht einmal besonders schwer. Man wollte von mir wissen, wann Deutschland seine vom Ausland aufgeladenen Schulden getilgt haben würde. Ein kurzes *nie* hätte gereicht, doch stattdessen brachte ich nun einen stolpernden Satz zustande, in dem das Prädikat im Plural stand, obwohl das Subjekt ein Singular war. Passiv und Futur durcheinandergerieten, das Ereignis jedoch in der Vergangenheit lag. Ich brachte es sogar noch zustande, die Endung des Objekts, die doch auf *n* lauten musste, mit dem *m* des vorangehenden Artikels zu vernuscheln. Mir wurde heiß, ich schaute zu Boden, jetzt bloß nicht noch den Blicken der anderen begegnen, und setzte mich.

Nach dem Vortrag verlegte man die Gesellschaft der jungen Herren auf die Terrasse. Dort reichte ein opulentes Dienstmädchen auf einem glänzenden Tablett Mokka und kleine

Silberbecher mit Importen. Alles bewegte sich, nur ich blieb sitzen. Mir wurde klar, dass es so nicht bleiben konnte. Ich stand auch auf und fühlte mich sofort besser, denn nun überragte ich die meisten anderen um einen halben Kopf. Am Ende der Terrasse sah ich meinen Sitznachbarn. Ich kannte ihn, auch wenn ich nicht genau wusste, woher. Er sah harmlos aus, also steckte ich eine Hand in die Tasche und überquerte möglichst gelassen, wenn auch etwas hastig, die Terrasse.

„Na, was hat dich hierher getrieben?", fragte ich.

Doch er verstand meine Frage nicht, weil ich schrecklich genuschelt hatte. Ich holte tief Luft und konzentrierte mich darauf, jedes Wort klar auszusprechen.

„Ich will zu Hause alles genau berichten", antwortete er schließlich. „Mein Vater ist sehr stolz darauf, dass ich bei der Herrengesellschaft bin."

Mein Vater sicher nicht.

„Kommst du ab jetzt auch immer zu den Treffen?"

Ich räusperte mich und merkte selbst, dass ich klang wie ein kastrierter Hahn.

„Ich weiß es noch nicht", sagte ich.

Darauf wusste mein Gegenüber nichts zu erwidern und so rührten wir eine Weile schweigend in unseren Mokkatassen.

„Wollen wir zu den anderen gehen?", schlug er vor.

Ich nickte. Als wir dann aber bei der Gruppe ankamen, erweiterte sein Bruder die Runde nur um einen Platz. Als hätte er mich nicht bemerkt. Als gäbe es hier gar keinen Georg! Wenn ich jetzt wenigstens eine Zigarette zwischen die Finger stecken könnte, dann hätte ich auch ohne was zu sagen eine Berechtigung, in der Nähe der anderen zu bleiben. So machte ich es bei meinen Corpsbrüdern auch, wobei ich darauf achtete, nicht schneller als sie zu rauchen, und notfalls einen Zug ausließ. Endlose Minuten später bekam ich einen festen Schlag auf den Rücken. Neben mir stand ein kleiner Mann mit breitem Brustkorb, der, wie ich von oben sehen konnte, seinen Scheitel mit viel Frisiercrème etwas zu weit links trug.

„Na, mein Guter." Das war Axel, Jochens jüngerer Bruder. „Wie ist es dir bekommen?" Ohne eine Antwort abzuwarten, fuhr er fort: „Eins sag ich dir, wenn wir zusammenstehen, können wir Deutschland wieder nach vorne bringen."

Ich drehte mich in seine Richtung und nickte. So musste ich wenigstens nicht mehr am Rand der Gruppe stehen. Axels Augen glänzten. Er hatte das, was ich im Stillen Versammlungsfieber nannte. Das kannte ich von meinen Corpsbrüdern. Ich selbst schien dagegen immun zu sein.

„Aber wir müssen noch viel weiter gehen!", fuhr Axel fort. „Wir dürfen den anderen das Feld nicht überlassen. Das wäre der Untergang des Deutschen Reichs."

Mit *den anderen* meinte Axel vor allem die Kommunisten, aber auch die Liberalen, die Demokraten und allgemein jeden Sozialisten.

„Die stellen Forderungen, sag ich dir, das hätten die sich früher nie getraut."

Er wippte auf seinen Schuhsohlen auf und ab.

„Auf unserem Gut gibt es keinen einzigen Sozi mehr."

Jetzt stellte er sich auf die Zehenspitzen.

„Aber das Beste kommt ja noch: Du ahnst nicht, wen Vater als Gastredner für die Herrengesellschaft eingeladen hat!"

6

Da hatte er recht, ich ahnte nichts. Axel wollte mir gerade den Namen verraten, als Jochen, der mit halbem Ohr unserer Unterhaltung zugehört hatte, seinen jüngeren Bruder im letzten Moment davon abhielt: Axel solle nicht vergessen, dass derjenige, dessen Namen er nicht sagen dürfe, *noch* nicht fest zugesagt habe und es demnach *noch* nicht spruchreif sei.

„Das ist mal ein Führer, wie ihn Deutschland braucht", schwärmte Axel und schaute mich erwartungsvoll an. Doch ich sagte dazu nichts. Um Zeit zu gewinnen, machte ich ein konzentriertes Gesicht und strich mir übers Haar. Axel blähte seine Nasenflügel auf und fragte forschend:

„Bist du etwa anderer Meinung?"

Ich schüttelte den Kopf, so konnte man das auch nicht sagen.

„Was ist dann mit ihm?"

Axel schaute ratlos zu Jochen, ob der ihm erklären könnte, was bei dem Jungen falsch war.

Da legte Jochen seine Hand auf meine Schulter wie um mich zu beschützen.

„Sag mal, Georg, weißt du etwa nicht, von wem wir hier reden?"

Ich schüttelte den Kopf und hätte mich am liebsten in Luft aufgelöst.

„Wie bitte?" Axel wirkte entrüstet. „Worüber redet ihr eigentlich zu Hause?"

Ich blieb stumm.

„Lass ihn, Axel", verteidigte mich Jochen. „Er ist doch noch jung."

Dann erklärte er mir ausgiebig, dass derjenige, dessen Namen Axel nicht sagen durfte, der Kopf einer Splitterpartei war, die zwar bei den letzten Reichstagswahlen nur 2,6 Prozent erreicht hatte, aber dennoch Zukunft haben könnte.

7

Ich nickte. In diesem Moment trat der Hausherr auf die Terrasse. Sofort fragte Axel seinen Vater nach der Wahrscheinlichkeit, dass Hitler einen Vortrag bei der Herrengesellschaft halten würde, und Jochen schüttelte verärgert den Kopf, weil der jüngere Bruder sein Redeverbot ignoriert hatte.

„Das wird sich bald herausstellen", sagte der Vater, „aber es wäre hilfreich, wenn der Trommler auch selbst bei der alten Elite um Stimmen werben würde. Man ist sich doch in vielem einig."

„Und in welchen Dingen ist man sich *nicht* einig?"

Alle schauten den Fragenden an. Hatte sich da etwa ein Zweifler enttarnt? Einer, der nicht bei seinem Leben auf die richtige Fahne schwören würde? Zu meinem Entsetzen hatte ich selbst die Frage gestellt. Wieso tat mein Mundwerk eigentlich alles, nur nicht das, was es sollte? Erst stockte und stammelte es, dann schwieg es, wenn es reden sollte, und nun das! Um die Situation zu überspielen, beeilte Jochen sich, dem Gedächtnis seines Vater auf die Sprünge zu helfen:

„Ich weiß, ihr habt euch lange nicht mehr gesehen. Erinnerst du dich noch an Georg Graf Plasbalg?"

„Die Grafen Plasbalg, ja natürlich", sagte Jochens Vater und wollte dann von mir wissen, aus welcher Linie ich stamme.

„Direkt aus Plasbalg", sagte ich.

„Dann weiß ich Bescheid", kommentierte er knapp und verzog den Mund, als hätte er an meinem Revers einen falschen Orden entdeckt.

2

Währenddessen wartete meine Schwester Helene am schmiedeeisernen Tor, das die Auffahrt zu Schloss Plasbalg zierte, auf den Briefträger. Eine schwüle Hitze drückte auf die alten Bauernhäuser und über die Dorfstraße schwebten kleine Staubwolken, die hin und wieder durchgewirbelt wurden von großen Lieferwägen, auf denen man wahlweise Blumen, Lampions oder Champagnerkisten zum Schloss transportierte.

Helene stand im Schatten eines alten Lindenbaums und hoffte, dass der Briefträger bald eintreffen würde. Ihr letzter Anhaltspunkt, wie lange sie schon wartete, war die Essenslieferung an die Feldarbeiter gewesen, die immer pünktlich kam. Für den Transport des Mittagessens wählte unsere Gusta immer ein Kammermädchen aus, das sie und den schönen Heiner, der den Wagen lenkte, begleiten durfte. Die Kutschfahrten waren begehrt, schließlich war es weitaus angenehmer, im offenen Landwagen zu fahren als Hühnchen zu rupfen oder unter der Aufsicht Ihrer Erlaucht Bestecke zu polieren. Unsere Mutter, wer sie mit Vornamen ansprach nannte sie Adele, legte großen Wert darauf, dass sich auf dem Familiensilber keine Wasserflecken bildeten. Auf noch ärgerem Kriegsfuß stand sie mit den Motten, die sich immer wieder in den Tiefen der gerafften Vorhänge einnisteten. An jedem ersten Montag im Monat kontrollierte sie persönlich die Stoffe und ließ, wenn nötig, ausbessern. So kam es, dass auf Gut Plasbalg jeder, Familienmitglieder und Hausgäste eingeschlossen, mit Nadel und Garn umgehen konnte. Keine Mottenlöcher, kein unpoliertes Buttermesser, und erst recht sollte auf dem Hof nicht geraucht werden, ein Gut wäre schließlich kein Trödelverein.

Nur der Briefträger trödelte. Er sollte weniger am Feldrand herumstehen und schnacken, fand Helene, sondern lieber seine Briefe austeilen. Wenn der Brief heute nicht in der Post war, könnte er spätestens morgen noch eintreffen. Tat er das nicht, musste sie damit rechnen, dass Charles-Édouard zu dem morgigen Fest nicht erscheinen würde. Aber was in aller Welt könnte ihn davon abhalten, zu ihr zu kommen?

Helene stellte sich vor, dass er krank im Bett liegen könnte. Mit pochenden Kopfschmerzen. Und schmerzenden Gliedern. In fieberfeuchten Kissen. Sie überlegte: Gegen Wadenwickel würde er sich bestimmt wehren. Einen kalten Lappen auf der Stirn aber womöglich erlauben, und es dann vielleicht sogar gernhaben, wenn sie den Umschlag auf seine Stirn legen würde, danach eine Haarsträhne aus seinem Gesicht streicheln würde, ihm sorgen- und liebevoll in die glasigen Augen sehen würde …

Eine andere Möglichkeit wäre, dass Charles-Édouard die Einladung in seiner Jacke vergessen haben könnte. Ausgerechnet mit dieser Jacke aber könnte dann sein Vater auf die Jagd gegangen und seitdem nicht mehr zurückgekehrt sein.

Noch komplizierter wurde es, wenn seine Antwort in der Post verlorengegangen war. Falls das wirklich passiert sein sollte, müsste sie in jedem Fall ausharren, bis der Ball begann. Allerdings wäre es dann wiederum gleichgültig, wann der Briefträger eintraf und ob überhaupt. Die Ungeduld in Helenes Herzen wich einer matten

10

Sehnsucht und so wurde ihr Blick des Starrens so müde, dass ihn nichts mehr hielt. Erst als sich Pferdegetrappel aus dem gräflichen Forst näherte, kehrte sie zurück aus ihrer dumpfen Versenkung. Doch es war nur wieder der Verpflegungsdienst, der von den Feldern zurückkehrte. Hastig zog Helene ein letztes Mal an ihrer Zigarette und vergrub den Stummel in der Erde, bevor man sie beim Rauchen erwischen konnte.

„Helenchen, was stehst du denn da so?", rief das Dienstmädchen Gusta. Den Titel *Dienstmädchen* hatte Gusta nie abstreifen können, obwohl sie seit gewiss zwanzig Jahren schon zu dick war für die adrette Schürzenuniform der Dienstmädchen; weswegen Gusta lieber Kittel trug.

„Ich warte auf den Briefträger", sagte Helene.

„Hab ich's mir doch gedacht. Von wem soll der Brief denn diesmal kommen?"

Helene zog eine Fratze und streckte Gusta die Zunge heraus. Gusta lachte. Der Leiterwagen fuhr an Helene vorbei und hielt dann vor dem Marstall, der in Form eines Halbmondes gebaut war und an dessen Giebel das Plasbalg'sche Familienwappen prangte. Mit einem Satz sprang der schöne Heiner vom Fahrbock und hielt den Frauen beim Heruntersteigen der Leiter die Hand hin, als könnte das nicht jede alleine. Bei der rotblonden Marianne nahm er sich besonders viel Zeit. Er legte ihr sogar noch die Hand auf die Hüfte. Genau konnte Helene das erkennen, selbst aus der Entfernung noch.

Heiner und Helene waren gleich alt und zusammen aufgewachsen. Es war bekannt, dass Heiner und Helene sich vor ein paar Jahren heimlich im Stroh getroffen hatten. Um sich mit den Halmen in den Ohren zu kitzeln. So lautete zumindest die offizielle Version, die Helenes Sommerferien verkürzte, weil sie zwei Wochen früher ins Mädchen-Stift zurückgeschickt wurde. Für Helene war die Geschichte mit Heiner damit aber noch nicht ausgestanden gewesen: Beim nächsten Erntetanz umgarnte Heiner die Grete aus dem Nachbardorf, im Jahr darauf tanzte er eng mit Lisa und diese Marianne hatte er vielleicht sogar am allerhäufigsten aufgefordert. Nur Helene nicht. Kein einziges Mal. Daraufhin hatte sie ihm wütend abgeschworen. Heute ärgerte sie nur noch, dass sie sich überhaupt noch über ihn ärgerte. Diese Marianne war in Helenes Augen, bei aller Liebe, eine einfältige Natur ohne Witz oder eigenen Antrieb. An so einer brauchte Helene sich nicht mehr messen zu lassen! Aber gut, sollte er ihretwegen doch bitte Marianne weiter hinterhersteigen. Im Grunde hatte sie das gar nicht mehr zu interessieren. Sie hatte doch längst ganz andere Interessen!

Allerdings gab Helene im nächsten Moment ihren Posten auf und schlenderte zum Stall. Na, grüßte Heiner sie mit dem mecklenburgischen Guten Tag, geht's gut und das Wetter so. Na, sagte Helene und nicht, es geht ihr gut, wie geht es ihm.

„Ich habe den Briefträger in Ivenack gesehen", sagte Heiner.

Ivenack lag am Anfang seiner Runde. Demnach könnte es noch länger dauern, bis er kam, wenn er überhaupt kam.

„Was willst du denn von ihm?", fragte Heiner.

Weil ihn das gar nichts anging, gab Helene erst mal keine Antwort. Lieber schaute sie auf sein Hemd, das sich stramm um den breiten Brustkorb spannte, während es am unteren Rücken wieder luftig abfiel und bei jeder Bewegung kleine Wellen schlug.

„Nichts so", sagte Helene und blies die Backen auf. „Aber oben werden sie schon nervös, weil immer noch Antworten fehlen. Kannst dir ja vorstellen, was da los ist."

Heiner nickte verständnisvoll, wenn auch etwas ratlos. Seine Mutter kriegte schließlich keine roten Flecken am Hals, wenn auf dem Antwortschreiben ein anderer Titel stand als vorher im Stammbaum herausgesucht, und sie meinte es auch nicht besser zu wissen als die Eingeladenen selbst, welcher Titel auf den Briefbogen und welcher in die Anrede gehörte.

„Wie viele Gäste kommen denn morgen?", wollte er wissen.

Helene zuckte die Schultern. Es war ihr unangenehm, mit Heiner über das Fest zu sprechen, schließlich hatte ihn keiner eingeladen. Allerdings hätte Heiner auch nicht kommen können, er besaß schließlich keinen Frack und wäre durch die Einladung in Bedrängnis geraten, sich einen zu besorgen.

„Dein Vater hat mir eine Woche freigegeben", erzählte Heiner, als hätte auch er ein Unbehagen bemerkt, das er nicht zugeben wollte. „Bis zur Ernte kann man jetzt sowieso nicht mehr viel tun. Nächste Woche fahre ich zu Armin nach Berlin."

Damit hatte er Helene tief beeindruckt. Für einen Besuch bei Heiners großem Bruder Armin würde sie alles geben. Armin arbeitete am Theater. Schon sein jugendlicher Charakter hatte sich für ein beschauliches Leben auf dem Land als ungeeignet erwiesen. Dann, als junger Mann, hielt er es selbst in der Kreisstadt nicht mehr aus, weil die Straßen bisweilen immer noch mit den schwarz-weiß-roten

13

Fahnen des alten Kaiserreichs beflaggt wurden. Vor ein paar Jahren hatte man ihm dort noch eine Anstellung als Handelsvertreter angeboten. Inzwischen würde das wohl keiner mehr tun. Man munkelte, Armin wäre Kommunist.

Er kam nur selten nach Hause zu den Eltern, aber wenn er kam, brachte er einen gewaltigen Appetit und bunte Plakate mit, die alle dieselbe Schauspielerin zeigten. Sie hatte blondes Haar und lange Beine. Wie die Kinder saßen wir dann vor ihm, und ich weiß noch genau, dass Helene immer wieder hören wollte, was die Schauspielerin gemacht hat, als der Regisseur ihren Rock länger schnallen musste: Pfffh, hat die Schauspielerin durch die Lücke zwischen den Schneidezähnen gepfiffen, diese Prüderie! Sie könne das nicht mehr ertragen! Die Marquise von O. solle mit mehr Humor verstanden werden! Dies ewige *Ich hab noch nie und will niemals* sei bieder, rückschrittlich, – einfach unmodern.

„Jetzt hast du ihn verpasst", sagte Heiner und zeigte mit seinem breiten Kinn in Richtung Allee. Helene sah den Briefträger schemenhaft zwischen den dicken Silberpappeln auf und wieder abtauchen. Sie ärgerte sich, schon wieder, doch kopflos hinterherrennen mochte sie nun auch nicht. Allerdings übersah Helene im nächsten Moment die übrigen Aufgaben im Stall mit einem *Ich muss dann mal wieder* und lief betont gelassen, mit der Hüfte wippend, aufs Schloss zu.

Sie war keine hundert Meter mehr vom Haupthaus entfernt, da sah sie, wie der Briefträger am Portal einem Dienstmädchen die Post überreichte, sich aufs Fahrrad schwang und das

Rondell wieder hinabfuhr. Sie presste ihre vollen Lippen aufeinander und ihre Schritte wurden kürzer. Gleich würde man sich begegnen. Konnte sie den Briefträger nicht einfach nach dem Brief fragen? Ob er aber die Adressaten im Kopf hatte? Oder womöglich eine spitze Bemerkung parat? Vielleicht hatten die Frauen am Feldrand schon mit ihm gescherzt, dass die lütte Comtesse schon wieder sehnlichst auf ihn wartete. Auf einem Gut blieb schließlich nichts unkommentiert, erst recht nicht, was die Herrschaft trieb.

Statt weiter zum Schloss zu laufen, bog Helene links ab. Der Parkweg führte durch eine bunt streuende Blumenwiese bis zur gutseigenen Kapelle. Doch Helene wollte nicht ins Gotteshaus. Sie lief vorbei an dem dreieckigen Giebel und auch an der schmalen Tür, durch die man von hinten in die Sakristei gelangte. Vorbei an den eisernen Kreuzen, die auf steinernen Sockeln der Vorfahren gedachten. Sie folgte dem Weg bis an sein Ende und noch zehn Schritte weiter über das weiche Gras bis hin zum Ufer, wo eine große Weide ihre Zweige in das seichte Seewasser senkte. Hier war der geheime Platz. Helenes und meiner. Außer uns kam nie jemand hierher.

Helene malte sich aus, wie es wäre, mit Charles-Édouard hier zu sein. Auf dem Ast, der wie eine Schaukel geformt war, konnten genau zwei Personen sitzen. Zuerst könnte er also vor ihr stehen bleiben, sich mit einem Arm an den Stamm lehnen und Geschichten aus Hamburg erzählen, von dem großen Hafen und den Lastschiffen aus aller Welt. Sie würde ihre Beine nach rechts fallen lassen und ihren Oberkörper leicht nach hinten strecken. Dann könnte er sich neben sie setzen. Hüfte an Hüfte. Als Nächstes könnte er seine

Hand in ihren Nacken legen und mit einer Haarsträhne spielen. Das alles könnte Wirklichkeit werden. Charles-Édouard bräuchte nur zu kommen. Wenn er das doch täte!

Von Sehnsucht übermannt, hätte sie jetzt am liebsten den Himmel um Hilfe gebeten. Doch etwas hielt sie zurück. Es erschien ihr nicht angemessen, denn es wären dieselben Worte, die sie früher jeden Tag dem lieben Gott vorgetragen hatte, als unser Vater im Krieg gedient hatte: Bitte mach, dass er zu mir kommt, am besten heute, wenigstens bald, aber in jedem Fall. Schick ihn mir! Lass es geschehen, oh Herr, du mein Gott.

Dieser Wunsch war erfüllt worden. Durfte sie aber den Allmächtigen nun um dieselbe Anstrengung für diesen Jungen bitten? Dafür war die Sache doch nicht ernst genug. Sie sollte mal nicht übertreiben.

3

Auf meinem Nachhauseritt, zwischen den Gütern lagen vielleicht zehn Kilometer, beschloss ich eine Pause einzulegen. Die Stunden bei der Herrengesellschaft hatten mich völlig erschöpft. Ich hatte genug, wollte alleine sein. Als ich auf der versteckten Lichtung im Wald ankam, sah ich gerade noch einen jungen Rehbock abspringen. Erstaunlich, dass er mich nicht schon früher gewittert hatte. Allerdings waren die Böcke in ihrer Blattzeit und nicht sehr aufmerksam, weil sie den Duft lockender Ricken in den Nüstern hatten und sonst gar nichts. Dieser würde wohl keine Chance kriegen, sich zu paaren, dachte ich. Sein Gehörn hatte nicht mal über die Lauscher gereicht, sein Körperbau war schmächtig, ein idealer Abschussbock. Bis vor ein paar Monaten war ich noch gerne auf die Jagd gegangen. Als mir aber der dunkle Gedanke gekommen war, worauf ich die Mündung noch alles richten könnte, hatte ich Angst bekommen, mit dem Gewehr allein zu sein.

Seufzend band ich mein Pferd so an einem Baum fest, dass es noch grasen konnte, und lockerte den Gurtriemen des Sattels. Dann ließ ich mich ins hohe Gras fallen und streckte mich aus, merkte, wie mein Rücken sich entspannte. Ich hob meine Hand und hielt sie gegen das Sonnenlicht. Sie leuchtete rot. Das war doch gar kein toter Knochen! Da war es doch, das Leben, mein Leben, und leuchtete rot. Warum konnte ich es nicht spüren? Was war mein Problem? Es könnte doch alles in Ordnung sein.

Neben mir tummelten sich Hummeln, über mir zwitschernde Vögel. Licht und Schatten folgten einander von Blatt zu Blatt. Ich atmete tief durch und spürte, wie mein Gedankenkarussell allmählich ruhiger wurde und meine Glieder schwer. Ich schloss die Augen und spielte mein Spiel, genau wie früher als kleiner Junge: Ich schaute den Lichtern hinterher, wie sie in roten Bahnen ineinanderflossen. Es war wie verhext, denn sobald ich glaubte, die Konturen von nur einem glühenden Licht erfasst zu haben, änderte es seine Form und verschwand wie ein Grashalm, den die Wellen mitnahmen. Erst als ich nicht mehr darauf beharrte, eines nur für sich zu betrachten – wer waren sie nur, diese Lichter? –, sondern es ziehen ließ; erst dann glitt es zurück in mein Sichtfeld und mit ihm tausend andere. Ich schlug die Augen auf, doch das Spiel hielt weiter an. Sekundenlang. Ich konnte das Flimmern weiter verfolgen, bis es sich im hellen Tag verkroch. Doch es erlosch dort nicht. Es frischte sich bloß am Sonnenstrahl auf, der über mir durch die Blätter brach. Ich brauchte nur die Augen wieder zu schließen – ist das wahr oder ist das Traum? –, dann tanzten sie weiter um mich herum, im hellroten Kreis, wie heimliche Waldgeister.

Irgendwann wurde ich mir meines Müßiggangs bewusst. Allzu deutlich sah ich vor mir, wie zu Hause alle aufgeregt durcheinandersprangen und abwechselnd nach Schrubber oder Schmuckschatulle schrien: Heute müsse alles fertig werden und zurechtgelegt sein, am morgigen Festtag habe man dafür keine Zeit mehr. Beim Gedanken an den ganzen Aufruhr beschloss ich, dass ich schon genug geholfen hatte. Immerhin hatte ich heute früh Tische in den Ballsaal getragen und dann, nachdem meine älteste Schwester Luise den Aufbau begutachtet hatte, alles wieder umgestellt, weil Luise kurzfristig beschlossen hatte, dass es doch keine lange Tafel geben sollte, sondern mehrere kleine Tischgruppen.

„Und die Bilder", hatte Luise mit einer Stimme gesagt, die keinen Widerspruch duldete, „die Bilder müssen raus aus dem Ballsaal."

Also wurden Vaters Bilder abgehängt und vorsichtig in die vorderen Salons getragen, und wie immer, wenn der Vater *seine* Bilder sah, war er sofort ins Schwärmen gekommen: Künstler, so sein Credo, wären nur sich selbst verpflichtet, egal, ob ihr Schaffen Erfolg versprach oder sie malend zugrunde gehen sollten. Er sei Zeuge ihrer Schöpfungskraft geworden, die sich immer und überall offenbaren konnte: ob die Kellnerin gerade Bier servierte oder der Klang im Gesicht der Sängerin im nächsten Moment durch den Applaus zerbersten könnte. Wie Gezwungene hätten die Malerfreunde nach Stift und Block gegriffen, als könnte der Eindruck erlöschen und für immer verschwinden, wenn sie ihn nicht in genau diesem Licht und auf der Stelle festhielten, und den nächsten gleich darauf, der sich im Kopf schon zu malen begann, weil sich vom Nachbartisch her der lange Pfeifenstiel eines rauchenden Kartenspielers in den Augenwinkel schob.

Einige von Vaters Bildern waren voller Kleckse, die wie fremde Elemente in Rot und Blau über die Leinwände schlierten. Diese Bilder hatte ich auf Anhieb gemocht. Zu den noch aparteren Werken der Sammlung fand ich keinen Zugang. Meine Schwestern noch weniger. Und Mutter wollte sie wohl nicht schön finden, denn immer, wenn das Gespräch auf die Bilder kam, behauptete sie, ihr

Stil würde nicht in die ländliche Gegend passen. Sollte man sich indes für eine Stadtwohnung in Berlin entscheiden, könnte man sie dort aufhängen. Der Kauf einer Stadtwohnung aber verschob sich von Ernte zu Ernte. Dafür reichte selbst bei uns das Geld nicht aus. Und so blieben die Bilder bis heute wie ungewollte Kinder im abgelegenen Saal hängen, dort, wo man nicht einmal mehr den Christbaum aufstellte, weil der Weg in den hinteren Teil des Schlosses im Winter zu weit und zu kalt war.

Als ich die Augen wieder öffnete, bedeckte ein grauer Schleier den Himmel. Kleine Tropfen platschten auf mein Gesicht und zwangen mich wieder aufzubrechen, ob ich wollte oder nicht.

Zur selben Zeit, als mein Pferd durch das schmiedeeiserne Tor in die Auffahrt einbog, seufzte Helene am Ufer des Sees gerade zum letzten Mal und beschloss, dass es doch keinen Zweck hatte, ewig nur herumzusitzen und auch nicht mehr zu wissen. Also stand sie auf und machte sich auf den Weg zum Schloss. Auf dem Vorhof trafen wir zusammen.

„Na du!", rief sie. „Wie war das Treffen?"

„Frag nicht."

„War es sehr langweilig?"

Sie hatte Mitleid mit mir, weil sie wusste, dass ich auf Erziehungsveranstaltungen ebenso wenig Lust hatte wie sie auf ihre Stickkurse, zu denen Mutter sie zwang.

„Es hat sich gezogen", sagte ich.

Als Nächstes wollte Helene wissen, ob Jochen etwas gesagt hat.

„Was soll er denn gesagt haben?"

Sie verdrehte die Augen. Ob er nach Luise gefragt hat, was denn sonst. Ich nickte. Das hatte er in der Tat getan. Aber erst ganz zum Schluss, kurz vorm Verabschieden, hatte er ihr einen Gruß ausrichten lassen.

„Ich habe es mir gedacht", grunzte Helene. „Wie praktisch von den beiden. Das Land grenzt ja schon aneinander." Dann stellte sie fest, als gäbe es dafür einen Anlass: „Für mich wäre der Jochen ja nichts, viel zu unmodern."

Da die Unmodernität Jochens unumstritten war, sagte ich dazu nichts. Das war erst recht nicht nötig, weil in diesem Moment das Salonfenster von innen geöffnet wurde.

„Wo warst du?", rief unsere Schwester Luise mit hoher Stimme, wobei ihr langer, blonder Zopf auf die Fensterbank fiel, was als Zeichen höchster Anspannung zu bewerten war, – es gab nur wenige Tage im Leben der Comtesse Luise von Plasbalg, an denen sie nicht ordentlich frisiert war.

„Wir haben dich schon überall gesucht. Komm jetzt, wir brauchen dich hier!"

Da nicht klar war, wen von uns beiden sie damit meinte, ich aber erst mein Pferd in den Stall bringen musste, ging Helene widerwillig ins Schloss.

4

Helene betrat das Foyer, von dem aus eine breite Lindenholztreppe hinauf in die oberen Salons führte. Auf dem unteren Rand des roten Treppenläufers, der gut einen Meter über den Steinboden reichte, schliefen zwei ausgewachsene, blaue Doggen. Die Tiere waren natürlich viel zu groß für die Ecke des Läufers. Da sie aber auf keinen Platz gut passten außer in ihre Hunde-Ecke, schmissen sie sich für gewöhnlich, wohin sie wollten; weswegen sie meistens im Weg lagen.

Helene kniete sich neben sie. Schlafen wäre ihr jetzt auch das liebste, dachte sie, und kraulte einen der Hunde hinterm Ohr. Das Tier streckte sich ihr vertrauensvoll entgegen. Da legte ihr der zweite Hund seine schwere Pfote auf den Arm, er wollte auch gestreichelt werden. Nachdenklich betrachtete Helene die massigen Tiere, deren Köpfe fast so groß waren wie ihr eigener, und beobachtete, wie gut ihre Hände massieren konnten.

„Helene!", rief die Mutter.

„Ja, ja."

„Helene!" Nun auch die Schwester.

Die Stunde der Gewissheit nahte. Sollte Charles-Édouard tatsächlich nicht geschrieben haben, würde sie sich eben einen anderen Tischherren aussuchen, dachte Helene, und zwar einen besonders gutaussehenden. Damit betrat sie tapfer den Salon. Luise beachtete sie nicht. Sie stand neben dem Tisch und pikte Nadeln in ein großes Blatt Papier. Daneben saß unsere Mutter, öffnete ein Antwortschreiben und murmelte:

„Schon wieder eine Absage."

Helene erschrak, doch die schlechte Nachricht betraf nicht Charles-Édouard, sondern eine Kusine des Vaters. Mutter klagte, dass sie ausgerechnet mit dieser Kusine über das Fest gesprochen habe. Die Kusine hatte ihr daraufhin versprochen ein zweites Mal zu prüfen, ob es sich einrichten ließe. Mutter war enttäuscht über die Absage, wenngleich sie zugab, damals schon einen heuchelnden Unterton bei der Kusine bemerkt zu haben. Sie öffnete den nächsten Brief. Hier hatte ein Sekretär geschrieben, dass Ihre königliche Hoheit nicht an der Einladung teilnehmen konnte.

„Wie unpersönlich!", rief Mutter.

Luise nickte. So antwortete gewiss keiner, der zwischen gutem und schlechtem Stil zu unterscheiden wusste, da waren sie sich einig. Mutter seufzte, als sie die Namensliste durchging. Nicht nur, dass alle Erwachsenen abgesagt hatten, genauso wie ein Drittel der Jugend. Mehr als die Hälfte aller Eingeladenen hatte es nicht einmal für nötig empfunden, überhaupt zu reagieren. Gott sei Dank hatten sie den Rahmen des Festes von Anfang an so großzügig geplant, dass durch die rund sechzig Zusagen eine kritische Masse sichergestellt war.

„Ich finde, dass Jochen bisher am nettesten geantwortet hat", sagte Mutter.

Luise lächelte und konnte auswendig aufsagen, dass Jochen von der fabelhaften Gelegenheit geschrieben hatte, endlich wieder ins bezaubernde Plasbalg zu fahren.

„So gehört es sich", seufzte Mutter und sah ihre Älteste versonnen an.

„So geht das aber nicht", stöhnte Luise und zog eine Nadel aus dem Papier, an der ein langes, dichtbeschriebenes Zettelchen hing. Mit der anderen Hand zerknüllte sie ein kleines Rechteck, das einen der Tische symbolisierte, den man aufgrund mangelnder Gäste nicht mehr brauchen würde.

„Der junge Herzog saß hier sowieso nicht gut."

Unter einer hochgezogenen Augenbraue wanderte Luises Blick über die Tischordnung, dann pikste sie die Nadel an anderer Stelle ein.

„So passt es besser."

Sie zeigte sich zufrieden, doch dann verfinsterte sich ihr Blick wieder. Nun saß der junge Herzog neben ihrer Kusine. Das würde ihr die Kusine gewiss verübeln. Der junge Herzog war nicht gerade für einen hohen Unterhaltungswert bekannt. Und auf der anderen Seite der Kusine war ein jugendlicher Knabe gesetzt, den eigentlich keiner kannte, der aber zusammen mit seinen Geschwistern eingeladen worden war. Luise grübelte stumm vor sich hin. Helene machte einen Vorschlag dazu, den Luise aber ignorierte, und Helene fragte sich, wozu man sie eigentlich mit einer solchen Dringlichkeit hereingerufen hatte. Da sah sie am Ende des Tisches zwei Papierstapel und daneben einen Haufen leerer Couverts. Dort sollte sie nachsehen, ob sein Brief angekommen war. So war es noch am unauffälligsten. Brauchte ja nicht jeder mitzukriegen, erst recht die Mutter nicht. Helene nahm sich einen Stapel, schob eine Karte hinter die andere und überflog die Adressaten: Adele Gräfin Schlessen, Elisabeth Baroness vom Huhn und Hahnendorff, Philippa Edle von Massenwitz, Ihre Durchlaucht Prinzessin Fabiana Fürstenstein. Fabelhaft. Falscher Stapel. Hier lagen nur die Antworten der weiblichen Gäste.

„Lass das", schimpfte Mutter, „du bringst uns alles durcheinander!"

„Stimmt nicht", verteidigte sich Helene. „Ich darf mir doch wohl auch anschauen, wer kommt und wer nicht."

Mutter zeigte wie ein Kommissar auf den Fleck über einer gestanzten, neunzackigen Wappenkrone.

„Doch nicht mit diesen dreckigen Fingern, Helene! Die Karten wollen wir doch aufbewahren."

Helene rollte mit den Augen.

„Man kann es auch übertreiben", murmelte sie, und Luise fühlte sich wieder mal in ihrem Gefühl bestätigt, dass sie die einzig gerade Gewachsene der Plasbalg'schen Kinder war, – natürlich bewahrte man die Antwortkarten auf, um sie nach dem Trubel in aller Ruhe zu studieren und zu vergleichen.

Als Mutter und Luise sich wieder ihrem Hauptproblem widmeten und nicht mehr auf Helene achteten, zog sie heimlich den zweiten Stapel zu sich heran. Sein Brief lag fast oben auf. Ihre Hände zitterten, als sie das Papier auseinanderfaltete. *Charles-Édouard Münchheimer.* Eindeutig selbstgeschrieben in wackligen Buchstaben, die mal nach rechts kippten und mal nach oben zerrten. Helene übersprang die ersten drei Zeilen mit der Anrede an ihre Mutter, an den Vater und zuletzt an alle drei Geschwister, denn nun folgte ein kurzes *ich komme dann doch*. Doch? Dann doch? Was meinte er denn damit? *Komme dann doch*, las sie erneut, und weiter ... *und bringe eine Überraschung mit.*

Helene hätte sich wohl noch länger in einer Art Schockstarre befunden, wenn nicht in diesem Moment der Vater mit einem Bild unter dem Arm durch das Zimmer stolziert wäre.

„Halt!", rief Mutter. „Was hast du damit vor?"

25

Doch er antwortete nicht. Mutter und Luise tauschten alarmierte Blicke aus, dann ließen sie alles stehen und liegen und liefen Vater hinterher.

5

Währenddessen übergab ich mein Pferd an Heiner, der es im Stall versorgen würde. Danach lief ich aufs Schloss zu, dann blieb ich stehen, änderte mein Ziel, wollte einen Moment lang zum Seeufer, zehn Schritte, dann hielt ich wieder an, machte kehrt, ging in Richtung Stall, stoppte erneut. Himmel, wenn mich einer so sah!

Was war ich nur für ein Hoferbe, wenn ich mich nicht einmal für eine Laufrichtung entscheiden konnte? Wie betäubt ging ich stur geradeaus weiter. Das Raunen in meinem Hinterkopf wurde lauter. Vielleicht war ich einer von diesen Trotteln, denen man Spreu statt Weizen verkaufen konnte? Vielleicht ein Taugenichts, der zu nichts anderem nützte, als Kinder in ihrer Gute-Nacht-Geschichte zu erschrecken: als Lehnsherr, der alle in die Pleite führte? So konnte es nicht weitergehen. Ich schüttelte mich, als könnte ich dadurch dem Flüstern in meinem Kopf entkommen, und floh ins Schloss.

In der Eingangshalle traf ich zu meiner Überraschung auf meine ganze Familie. Vater hielt ein Gemälde in den Händen und wollte es gerade an einen leeren Nagel hängen. Das Bild, das vorher dort gehangen hatte, hatte er auf seinen Schuhkappen abgestellt. Mutter war mit seinem Vorhaben ganz und gar nicht einverstanden. Plötzlich hing sie zu unserem Entsetzen mit ihrem ganzen Gewicht an Vaters Arm, um ihn, verdammt nochmal, davon abzuhalten, sein komisches Bild aufzuhängen. Doch unsere Mutter war eine schmale Frau, die Vater nichts entgegenzusetzen hatte. Er schüttelte sie mit Leichtigkeit ab. Einen Moment lang herrschte angespannte Stille. Dann:

„Das machst du nicht", rief Mutter, als sie ihr Gleichgewicht wiedergefunden hatte.

„Und wie ich das machen werde! Ich habe genug von dem alten Schinken. Kann alles weg. Georg, komm her und schaff es mir aus den Augen."

Ich hob das Gemälde von Vaters Füßen hoch.

„Stell das wieder hin!", befahl Mutter.

Ich blieb, wie ich war.

Luise schüttelte missmutig den Kopf.

„Das kann doch nicht dein Ernst sein", schimpfte sie. „Wir machen hier alles schön und dann kommst du damit."

„Luise", sagte Vater übertrieben geduldig, als ob er mit einem kleinen Kind spräche, „es geht doch nicht darum, dass etwas schön ist. Dieses Bild ist viel mehr als nur schön: Es setzt Zeichen."

„Aber doch nicht mit diesen Kleckereien!"

Vater schnallste mit seinen rosarot gepunkteten Hosenträgern.

„Das sind keine Kleckereien, das ist tiefgereifter Impressionismus. Lest ihr Frauen überhaupt keine Zeitung?"

Luise kriegte Wutflecken am Hals. Jeden Tag las sie die Börsennachrichten. Das müsste er eigentlich wissen, schließlich waren der Finanz- und der Handelsteil immer schon zerknittert, wenn Vater die Zeitung zum ersten Mal in die Hand nahm. Aber Vater merkte nichts, solange nur die illustrierten Beilagen der Zeitbilder und die Literarische Umschau ihre Ordnung hatten. Helenes Wangen färbten sich rosa: Sie las lieber Bücher oder Magazine und tatsächlich nie die Tageszeitung. Ich ebenso wenig und fühlte mich nun vom Vater den Frauen zugeordnet. Beschämt drehte ich mich weg und damit dem aussortierten Bild zu, das eben noch an der Wand gehangen hatte und dort nun einen grauen Staubrand hinterließ.

Es zeigte zwei Hirten in einer hügeligen Sommerlandschaft, die mit ihren Schafen auf einer Wiese rasteten. Einer spielte Flöte, der andere schlief. Drei Tiere hatten sich von der Gruppe entfernt und grasten zwischen ruinösen Säulen, die einst einen römischen Tempel getragen haben mussten. Es waren ähnliche Säulen wie die, auf denen das Portal des Plasbalg'schen Schlosses ruhte. Was fand Vater nur so schlimm an dem Bild? Ich mochte die Hirten und hatte immer das Gefühl gehabt, dass ich einer von ihnen sein könnte.

Da seufzte Vater laut, und einen Moment schien es, als wollte er von seinem Vorhaben ablassen. Doch weit gefehlt. Es wäre höchste Zeit, rief er mit volltönender Stimme und lief mit dem Bild aus der Eingangshalle   …
Tempo aufnehmen … Blick nach vorne richten … zu merken, wie die Dinge liegen …, verklangen seine Sätze Salon für Salon. Bald drangen nur noch Fragmente in die stille Entrüstung der Familie. Ein Schwall von fern im Irgendwo, bis mit einem Mal die Schritte wieder lauter wurden und mit ihnen die Welle
verhack
stückt
er
Parolen.
Da stand Vater wieder vor uns. In den Händen nun ein anderes Bild und im Gesicht den Stolz eines

Anglers, der den Hecht seines Lebens gefangen hatte.

„Das kannst du mir nicht antun!", heulte Luise auf und lief die Treppe hinauf. Dann hörten wir eine Tür knallen, dann nichts mehr.

Mutter hatte es die Sprache verschlagen und selbst Helene wusste nicht, was sie dazu sagen sollte. Auf dem Bild prangte eine kreisrunde Brust, die zu einer Art Frauenakt gehören musste. Darüber deuteten dicke Pinselstriche eine Nase an, die quer nach links zeigte. Gegenläufig dazu spitzte sich der Mund nach rechts. An der Schulter hing, statt des Arms, eine Hand, daneben schwebte eine zweite dralle Form, an deren Rand eine ausrangierte Brustwarze klebte.

Mutter schaute Luise sorgenvoll hinterher.

„Ausgerechnet heute musst du damit kommen, wenn doch morgen die Gäste hier vorbeigehen sollen!"

Doch Vater ließ sich davon nicht beeindrucken. Ich selbst blieb von all dem Trubel seltsam unberührt. Was gingen mich auch die Gäste an?

„Kann ich das Hirtenbild dann in mein Zimmer hängen?", fragte ich. Erst wusste ich nicht, ob Vater mich gehört hatte. Dann nickte er beiläufig.

Vater gab dem Bild einen Schubs nach rechts, trat zwei Schritte zurück, schnallste wieder mit seinen rosarot gepunkteten Hosenträgern und betrachtete das Werk so stolz, als hätte er es selbst gemalt; wobei er übersah, dass dieses Bild ein Hochformat war und gar nicht die grauen Staubränder des vorherigen Querformats überdeckte und so der Eindruck ins Gammelige geriet.

Nein, das interessierte ihn alles nicht, denn für meinen Vater trug dieses Bild sein halbes Leben in sich. Es erinnerte ihn an seine *Belle Époque* als Bildungsreisender in Paris. Und an das Atelier, in dem man im Winter fror und mit Handschuhen und Mütze malen musste. Im Sommer wiederum wurde es darin dann so heiß, dass man kaum genug Luft bekam, weil die Räume im Dachgeschoss lagen und die Sonne durch die großen Fenster hindurch noch stärker brannte, als sie es auf der Straße sowieso schon tat. Trotzdem traf man sich fast täglich hier. Kam und ging. Viele blieben.

Vater hatte damals in Paris keinen anderen Auftrag, als Müßiggang und Vergnügen in einem angenehmen Wechsel zu halten. Er wohnte bei einer verwitweten Tante, die tagsüber unter Kopfschmerzen litt und abends mit ihm oder ohne ihn zwei Flaschen Wein trank. Manchmal brachte er einen Freund zum Abendessen mit, was der grauen Dame besonders gut gefiel. Sie liebte es, sich von den jungen Herren Geschichten aus dem Varieté erzählen zu lassen. Einmal war sie sogar in eine Vorstellung mitgekommen und hatte damit meinem Vater sehr imponiert. Seitdem war er davon überzeugt, dass Neugier als eine der besten Eigenschaften von Großstädtern zu bewerten war.

Dieses Bild aber, das nun vor ihm hing, stammte nicht aus seiner Pariser Zeit, sondern war erst sehr viel später in seinen Besitz gekommen. Wenn man so wollte, zwei Leben später. Der Große Krieg war damals seit ein paar Jahren schon vorbei, da las mein Vater in der Zeitung, dass einer seiner Pariser Freunde eine Galerie in Berlin eröffnet hatte. Sobald es die Straßen zuließen und nicht mehr so aufgeweicht waren, dass man knietief im Matsch versank und nur mit dem Jagdwagen fahren konnte, trafen sie sich in einem Charlottenburger Straßencafé. Dort versuchten sie, die verlorene Zeit aufzuholen, und merkten doch, dass viele Lücken blieben.

Vater wollte sicher nicht vom Krieg erzählen. Schon gar nicht, dass er nachts immer noch durch Schützengräben rannte, um dem Donnern und Knallen zu entkommen; er sich in eine Kuhle schmiss und sicher wähnte wie ein Hase in der Sasse; wie es still um ihn wurde und gleichzeitig in seinen Ohren brummte und hämmerte wie in einer Fabrik; er sich hektisch umschaute, wohin er sich in der Feuerpause retten könnte, dann ein lautes Krachen Funken spritzte und seinen Nachbarn in Stücke riss.

Niemandem war geholfen, wenn er seine mit Blut und Dreck verschmierten Erinnerungen neben einem silbern glänzenden Sektkühler ausbreitete. Er hatte schließlich überlebt und durfte nichts als dankbar dafür sein. Ein Oberschenkeldurchschuss wurde sein Heimatpass. Vater hatte Glück, dass man ihm sein Bein nicht blindlings amputierte. Das kostete ihn seine goldene Uhr, die er dem Lazarettarzt in die Tasche schob, woraufhin der ihm müde einen Krankenschein ausstellte, aber kein Morphium mitgab. Bei Vater hatte allein der Wille zum Leben ausreichen müssen. Manchmal, wenn die Kälte im Winter durch die Räume kroch, beklagte er sich noch über die alte Wunde. Davon abgesehen ging er aber recht gut ohne Stock, wenn auch etwas steif.

Genauso wenig wie Vater wollte der Galerist vom Krieg erzählen und seiner Gefangenschaft, als der Hunger an seinen Gedärmen fraß. Wozu, wenn doch nun ein rosarotes Roastbeef vor ihm dampfte? Lieber unterhielten sie sich über Leute und tauschten aus, was sie von ihren alten Freunden wussten: Wer ausgewandert war, wer

Familie hatte, wer von welcher Galerie vertreten wurde. Wenn keiner der beiden wusste, was eigentlich aus dem Dunkelhaarigen mit dem Zwinkertick geworden war, erhoben sie das Glas auf ihn. Genauso taten sie es, wenn einer es aus dem Krieg nicht zurückgeschafft hatte.

Mit der Dunkelheit trafen immer mehr Gäste im Kaffeehaus ein. Eine junge Frau kam an ihren Tisch und begrüßte den Galeristen mit einem Kuss auf den Mund. Man bestellte Rotwein und Käse. Bald schoben sie den Nachbartisch an ihren heran, weil immer mehr Freunde dazustießen, genau wie früher in Paris. Der Galerist hielt die Kussmundfreundin im Arm und achtete darauf, dass ihr Glas immer voll war. Er deutete mit der Nasenspitze auf die Spitzbusige, die meinen Vater, den Grafen mit Landgut, ungetrübt anhimmelte. Die Haare trug sie kurz. Die Steine in ihrem Armband waren groß und falsch und um ihren Hals reihte sich eine lange Perlenkette, deren Ende tief in ihrem Schoß versank. Noch einmal deutete der Galerist auf die Frau neben ihm. Doch Vater merkte, dass das alles hier nicht mehr seine Welt war.

Trotzdem gingen sie später zu viert in die Galerie, die nur zwei Straßen weiter lag. Hier hatte Vater den kubistischen Frauenakt zum ersten Mal gesehen. Das Bild hing in der schmalen Küche über einem halbrunden Tisch, der mit der Wand abschloss. Während mein Vater das Werk studierte, wankte sein alter Freund mit einer Flasche Champagner und vier Gläsern in den Salon. Die Frauen kicherten und Vaters Freund strahlte übers ganze Gesicht, in das sich kleine Lachfalten gruben, überall außer auf der Stirn, die wie glattgewischt darlag, darauf ein feuchter Film im Licht des

Kronleuchters glänzte. Während die drei auf der Chaiselongue an ihren Gläsern nippten und der erste Tropfen Champagner der Kussmundfreundin ins Dekolleté floss, sah sich mein Vater in aller Ruhe die Bilder des Galeristen an. Er hatte schon viel über die Malweise des Kubismus gelesen und interessierte sich seit einer Weile brennend dafür.

„Mal sehen, ob sich diese Kunst hier verkaufen lässt", kommentierte der Galerist. „Ist ja nicht gerade sehr sachlich."

„Man kann nie wissen, was sich durchsetzt", erwiderte Vater und setzte seinen Rundgang fort, wobei er jedes Werk einzeln prüfte, immer weiter, bis er in einem der hinteren Räume plötzlich vor einem Bild stand, das ihm direkt ins Herz schnitt. Es war sehr groß und düster. Einzelne Gliedmaßen schwebten darauf übereinander. Nasen stießen an Füße. Zwischen ihnen ein Messer. In der Ecke eine Axt. Galle stieg in ihm auf. Ihm wurde schwindelig. Er riss sich von dem Bild los, floh zurück in den Salon und blieb dann untätig vor der Chaiselongue stehen.

„Was kann ich dir Gutes tun?", fragte der Galerist und schaute zwischen zwei blanken Schultern hervor.

„Ich würde dir gern ein Bild abkaufen", sagte Vater. „Von welchem kannst du dich am leichtesten trennen?"

„Von allen!", sagte der Freund lachend. „Am besten nimmst du dir das Bild aus der Küche und schickst mir so viel Geld, wie du dafür bezahlen willst. Nimm dir die Frau, mein Guter, wenigstens auf dem Papier!"

Genau das hatte Vater dann auch getan. Und nun hing das Bild hier und nichts Verwerfliches war er bereit, daran zu finden.

6

Im oberen Stockwerk stützte Luise sich zitternd auf ihrer Schminkkommode ab. Erst die vielen Absagen und nun wollte Vater auch noch die restlichen Gäste mit seinem Kunstgeschmack verschrecken. Das war zu viel für Luise und so floss all ihre Erwartung an das Fest, das doch das schönste im ganzen Land werden sollte, in schnellen Tränen aus ihr hinaus und tropfte auf das Seidenkleid über der Stuhllehne. Doch es fehlte ihr die Kraft, auch nur einen Schritt weiter rechts zu heulen. Dabei wusste sie, dass Tränen auf Seide Flecken machten, die nie wieder rausgingen. Die Salzkristalle würden weiße Spuren hinterlassen. Das Kleid war dahin. Umsonst die ganze Mühe, und das nur, weil der Vater *ihr* Fest mutwillig zerstören wollte.

Dann würde sie eben mit Flecken auf dem Ball erscheinen, dachte sie trotzig. Dann sollten auch die Gläser staubig bleiben, die sie als Nächstes hatte kontrollieren wollen. Sollten sie staubig bleiben, genau wie der schäbige Rand an der Wand um das noch viel schäbigere Bild, das ja ach so große Zeichen setzen sollte. Warum musste Vater sich ausgerechnet heute damit in den Vordergrund drängeln? Sie war doch diejenige, die mit diesem Abend ein Zeichen setzen wollte.

Luise war immerhin schon fünfundzwanzig Jahre alt und die Gefahr bestand, dass aus ihr ein spätes Mädchen wurde. Ihre Kusinen hatten alle längst geheiratet. Sie wusste, dass es Zeit war zu handeln. Als Tochter durfte sie schließlich nicht den Familiensitz übernehmen. Dabei wusste jeder, dass sie die Fähigste unter den Geschwistern war. Luise engagierte sich in allen Bereichen, kannte die Zahlen und die Geschäftspartner. Am liebsten, auch wenn Luise das in großer Runde niemals zugegeben hätte, feilschte sie mit dem dicken Getreidehändler aus der Kreisstadt, der schwer zu atmen begann, wenn er versuchte, ihren schnellen Berechnungen des Weizenpreises hinterherzukommen. In Reichs- und Rentenmark, in Pfund und Dollar kalkulierte Luise den Wert des Doppelzentners, bis dem trägen Händler nichts mehr zur Verteidigung seines schlechten Angebots einfiel, als „Ich würde gerne den Gutsverwalter sprechen". Luise wusste, sie musste ihre Stellung verlassen und eine neue Position finden, bevor ein anderer meinte, eine Entscheidung über ihre Zukunft fällen zu müssen. Doch wenn alles gut lief, würde ihr Lebensweg sie gar nicht so weit wegführen, sondern nur ein Schloss weiter.

Die Flügeltür zu Luises Zimmer öffnete sich und Helene trat ein. Sie lief zu der mit Blumenranken bemalten Kommode und legte ihrer großen Schwester einen Arm um die Schultern, woraufhin Luise sich mit einem schnellen Ruck aufrichtete. Doch die Jüngere ließ sie nicht entkommen, sondern drückte ihr einen festen Kuss auf die Stirn. Luise weinte weiter, aber nach einer Weile ging ihr Schluchzen in ein Schimpfen über, was ihr zumindest half, Haltung zu gewinnen: Lächerlich, dass der Vater ausgerechnet zwischen der Jugend versuchte, seine Wirkung zu erproben. Sollte er es doch bitte unter seinesgleichen versuchen!

„Das macht ihm auch noch Spaß!" Luise schnäuzte sich energisch die Nase. „Immer muss er uns das Leben schwermachen. Kann er sich nicht einmal wie ein Erwachsener benehmen, so wie andere Väter auch?"

„Wir lassen uns was einfallen", versprach Helene. „Könnten wir nicht einfach im letzten Moment die Bilder wieder umhängen?"

Doch Luise glaubte nicht an die Macht der letzten Sekunden. Sie ließ den Kopf hängen wie ein unterlegener Wettläufer.

„Ich hab eine Idee!", rief Helene. „Wir lassen die Gäste durch das Tor in den Innenhof zum Empfang gehen und gar nicht durchs Haus. Dann kann in der Eingangshalle hängen was will, und keiner hat's gesehen."

Luise sah ihre Schwester nachdenklich an und zwirbelte sich eine Haarsträhne um den Finger. Könnte sein, überlegte sie, dass das tatsächlich eine gute Idee war. Doch Helene war schon bei ihrem liebsten Thema.

„Wen willst du eigentlich neben Charles-Édouard setzen?", fragte sie, als ob Luise sich dadurch ablenken lassen könnte.

„Weiß ich nicht aus dem Kopf", sagte Luise barsch. Sie zog ihr Seidenkleid von der Lehne und untersuchte den Schaden, der durch ihre Heulerei entstanden war.

„Das auch noch", klagte sie, als sie die kleinen Wasserflecken sah, „das nun auch noch."

Helene bohrte weiter: „Wer soll eigentlich dein Tischherr werden?"

Keine Reaktion. Nur die langsam abschwellende Ader auf Luises Stirn signalisierte, dass der Anfall bald überstanden sein würde und sie sich beruhigte. Helene startete also einen dritten Versuch, ihre Schwester in ein Gespräch zu ziehen.

„Luise, an *eine* Sache musst du unbedingt denken", sagte sie eindringlich. Diesmal fixierte

Luise die jüngere Schwester mit einem skeptischen Blick, der klarmachen sollte, dass es mit *einer* Sache, an die zu denken war, nicht im Geringsten getan war.

„Unseren Bruder musst du gut setzen", erklärte Helene. „Sonst macht er sich in die Hose."

Luises Lippen verzogen sich zu einem süffisanten Strich. Immerhin, ihre Augen wurden wieder klarer und Luise sortierte die Blankbusige auf der Leinwand zurück in die Reihe all jener Katastrophen, die für diesen Abend vorherzusehen und abzuwenden waren. Diese Familie ersparte einem wirklich gar nichts, dachte Luise und sah nachdenklich aus dem Fenster. Wie herrlich der Garten blühte, Plasbalg war in dieser Jahreszeit besonders schön, hoffentlich würden sie morgen nicht von einem Sommergewitter überrascht werden ... – nu' aber, kramte Helene etwa in ihrem Schmuckkästchen herum? Luise drehte sich um und wollte ihre Schwester noch bremsen, doch da hatte Helene sich schon einen Perlenohrring herausgezogen und hielt ihn sich vor dem dreiflügligen Spiegel der Frisierkommode ans Ohr.

„Luise, guck mal, dieser Perlentropfen steht mir fabelhaft, findest du nicht auch? Der würde wunderbar zu meinem schwarzen Kleid passen."

„Welches schwarze Kleid denn?", wollte Luise sofort wissen. „Das kenne ich gar nicht. Zeig es mir mal!"

Also holte Helene das schwarze Kleid aus ihrem Zimmer und führte es ihrer großen Schwester vor, die davon alles andere als begeistert war.

„Das geht ja gerade mal übers Knie", schimpfte Luise. „So was kannst du doch nicht an einem Ball anziehen. Für einer Einladung am Tag vielleicht, aber nicht für eine Soiree mit Tanz. Weißt du denn immer noch nicht, wie man es richtig macht?"

Helene schüttelte den Kopf. Sie wollte das Schwarze anziehen, ihre Freundin Theresa hatte es ihr extra geliehen, und wer legte überhaupt fest, dass ein Kleid bis zu den Knöcheln reichen musste?

„Siehst du denn nicht, dass dieser ganze Glitzerkram schrecklich ordinär wirkt? Bitte tu mir das nicht an! Wir wollen doch einen guten Eindruck bei unseren Gästen machen."

Weil Luise ihr leidtat, und auch, weil der Begriff *ordinär* sie verunsicherte, willigte Helene ein, nach einem anderen Kleid zu suchen. Gemeinsam inspizierten die Schwestern Luises Schrank, wobei Luise Wert darauf legte, dass Helene sich zurückhielt und nicht nach jedem Kleid, das ihr gefiel, greifen durfte wie ein Affe nach der Banane. Leider schmälerte Helenes Figur die Auswahl. Sie war kräftig gebaut und wog gute sieben Kilo mehr als Luise. Unzufrieden kniff Helene sich in den Speck, der zwischen den schmalen Trägern und den Achseln hervorquoll, als sie ein rotes Kleid versuchte. Auch ihre wuchtigen Oberarme konnte sie niemandem antun, dachte sie missmutig. Als reichte es nicht, dass die Haut dort übersät war mit roten Punkten, die gegen jede Crème resistent waren. Es gab praktisch keine feste Wölbung, die vermuten ließ, dass sich hier auch Muskeln verbargen. Hielt Helene ihren Arm im rechten Winkel, konnte sie im Spiegel, wenn sie genau hinsah, beobachten, wie sich das Fett über die Elle wölbte. Schüttelte sie ihn, waberte eine schlaffe Masse vor und zurück. Streckte sie ihn, türmte das Fett sich auf und formte hässliche Dellen, dergleichen man nur von der dicken Gusta kannte.

Luise fand das alles nicht so schlimm, ein bisschen dürfe an einer Frau schon dran sein. Man wolle doch nicht aussehen wie ein Hungerhaken. Doch Helene ließ sich nicht trösten und fand, dass Luise leicht daherreden konnte, weil ihre Oberarme schmal waren und ihre Schultern grazil. Das nächste Kleid spannte um Helenes Taille und verriet die auslaufende Form ihres Oberkörpers. Wenn Charles-Édouard eine Überraschung für sie hatte, dann hatte sie ebenso eine für ihn: Eine Frau gleich einer Birne würde ihn erwarten!

Am Ende der Anprobe blieb Helene ein dekolletiertes Bustierkleid aus grüner Wildseide, unter dem sie eine Korsage tragen konnte, die aus dem hoffnungslosen Fall etwas Ähnliches wie eine weibliche Figur zauberte. Zuletzt wickelte Luise noch eine breite Schärpe um ihre verunsicherte Schwester, band sie am unteren Rücken zu einer großen Schleife fest, und war mit dem Ergebnis äußerst zufrieden.

7

Währenddessen holperte ein offenes, gelblackiertes Coupé mit glänzendem Chrom durch die breite Allee, die nach Schloss Plasbalg führte. Es wurde von einem schmächtigen Mann gelenkt, dessen Augen über die Jahre schwach geworden waren, sodass er die Schlaglöcher auf der Landstraße nicht rechtzeitig erkennen konnte.

Auf der Rückbank saß eine blonde, junge Frau in einem weißen Kleid. Hinter ihr auf der Ablage stapelten sich mehrere Koffer, auf deren seidenen Bezügen bunte Papageien in der Sonne schimmerten. Sie ärgerte sich, dass ihr Fahrer sie derart durchschüttelte, denn sie ging fest davon aus, dass die Dienstboten Spalier stehen würden und die ganze Familie Plasbalg sie in Empfang nehmen würde. So hatte sie es auf einem Zeitungsfoto von einem englischen Lord gesehen. Nach dieser Tortur aber sah sie vermutlich aus wie ein gerupfter Kakadu. Sie zog ein Fläschchen Parfüm aus ihrer Handtasche und träufelte sich den Duft auf den rechten Handrücken und auf die äußeren Wangen. Dann nahm sie den Handspiegel und stellte fest, dass sie den Lippenstift nachziehen musste, doch dafür schaukelte es im Wagen zu stark.

„Sofort anhalten!", befahl sie.

Der Fahrer trat auf die Bremse, der Wagen stoppte abrupt und der Turm aus Koffern schob sich gefährlich weit nach vorne. Sie schnalzte mit der Zunge und beschimpfte den Fahrer, weil sich durch die scharfe Bremsung der Inhalt ihrer Handtasche auf der Fußmatte verteilt hatte.

„Das kannst du jetzt erst mal in Ordnung bringen!"

Eilfertig sprang der Fahrer aus dem Wagen und richtete seine Mütze auf, die zwei Nummern zu groß war und immer schief saß.

„Zu Befehl, Gnädigste", sagte er und wollte sich daranmachen, die Koffer wieder in eine stabile Position zu bugsieren. Doch sie schüttelte ungeduldig den Kopf.

„Zuerst die Schminke!", befahl sie und zeigte auf den Boden des Coupés. Sofort ließ er von seinem Schaffen ab, verbeugte sich mehrmals und kroch auf die Rückbank. Sie spannte ihren Sonnenschirm auf und stellte sich in den Schatten eines Baumes.

Heiner, der die Szene vom Marstall aus beobachtet hatte, lief auf das Auto zu und bot seine Hilfe an. Er rüttelte prüfend an der Halterung der Koffer.

„Total verbogen", sagte Heiner. „Hier muss ein neuer Haken dran. So einen hab ich noch in meiner Werkstatt."

„Dann soll er den Haken holen!", sagte sie zu ihrem Fahrer, der ihr aus einer Verbeugung heraus die Handtasche reichte. Heiner machte keinerlei Anstalten, ihrem Befehl Folge zu leisten. Sie fuhr ihn an, worauf er zu warten hätte, sie wolle schließlich nicht ewig hier festsitzen, sie würde im Schloss erwartet.

Heiner war verblüfft über den Ton, den die Besucherin anschlug. Sie war doch gerade mal so alt wie er selbst. Doch er wollte den alten Chauffeur nicht in Schwierigkeiten bringen und so bemühten sie sich, die Koffer notdürftig zu befestigen. Als das nicht gelang, stellte Heiner sich kurzerhand auf die Ablage und verkündete, dass er die Koffer den kurzen Weg bis zum Schloss festhalten werde. Die Reise konnte also weitergehen, allerdings erst, nachdem sie ihren Lippenstift und ihre Frisur ein letztes Mal geprüft hatte.

Zu ihrer großen Enttäuschung stand niemand Spalier, um sie in Empfang zu nehmen. Schlimmer noch, man schien ihre Ankunft nicht einmal zu bemerken, als stünde sie vor einem ordinären Stadthaus und nicht vor gräflichem Einlass.

„War wohl doch nicht so eilig, was?", spottete Heiner und hob die Koffer vom Wagen.

Sie war entrüstet, was erlaubte der sich? Sie verscheuchte ihn und den Chauffeur mit einer Handbewegung, als wären sie lästige Fliegen. Heiner schwang sich auf den Sitz hinterm Steuer, den ihm der Alte bereitwillig überließ, und warf ihr einen Luftkuss zu, der sie vor Ärger rot anlaufen ließ. Sie hätte sich noch länger über diese Frechheit echauffiert, wenn sie nicht im nächsten Moment von der imposanten Silhouette des Schlossgiebels überwältigt worden wäre. Aus Helenes Erzählungen hätte sie sich das Zuhause der Freundin niemals so prächtig vorgestellt, was vor allem daran lag, dass Helene sich mit Größenangaben stets zurückhielt. Erst auf Nachfrage hatte Theresa erfahren können, ob Helenes Schloss denn nun ein echtes war. Für Theresa war ein Schloss nur dann echt, wenn es neunundneunzig Zimmer hatte und einen Turm. Als Helene daraufhin die Räume im Kopf durchging und bei der achten abgezählten Hand nicht mehr wusste, ob sie den Sommerflügel schon mitgezählt hatte, war Theresa überzeugt gewesen, dass Helenes Schloss ein echtes sein musste. Am Ende war die genaue Zahl der Zimmer doch nicht ganz so wichtig. Ihren Vater nannte man ja auch Millionär und legte sich nicht fest, wie viele Millionen man dafür zu besitzen hatte.

Sie erschrak, als sich neben ihr die Tür öffnete. Heraus trat ein großer, junger Mann mit dunklen Locken, die sich bis in seine Koteletten kräuselten. Er sah so gut aus, dass ihr fast ein *mmmh* entfahren wäre, als würde sie vor einer Kuchenauslage stehen und das Zuckerwerk bewundern.

„Guten Tag", sagte sie besonders liebenswürdig, weil sie vermutete, den Sohn des Hauses vor sich zu haben.

„Wissen Sie, wo ich Helene finde? Ich bin eine Freundin von ihr."

Vor mir stand eine elegant gekleidetes Mädchen und lächelte mich an. Sie hatte etwas zu mir gesagt, aber wie so oft war mein Kopf vollkommen leer. Immerhin hatte ich mitbekommen, dass sie nach Helene gefragt hatte. Ich sagte nichts und zeigte mit einer eher informellen Geste ins Unbestimmte hinter mich.

„Sie sind bestimmt Helenes Bruder." Sie lächelte gewinnend, als hätte sie dieses Lächeln schon bei vielen ersten Begegnungen erprobt. „Ich habe schon viel von Ihnen gehört! Darf ich mich vorstellen? Ich bin Theresa Krause."

Während ich überlegte, was genau sie über mich gehört haben könnte, entstand eine Pause. Dann rettete Theresa uns über die Stille mit einem gut passenden „Wie wunderschön es hier ist".

Eigentlich kannte ich mich mit dieser Floskel aus und trug jetzt auch brav die dafür festgelegten Sätze vor, auch wenn sie klangen, als wären es die einzigen, die ich in einer fremden Sprache aufsagen konnte: Wie recht sie habe, es sei wirklich eine der schönsten Zeiten auf Plasbalg, nun da der Sommer endlich da sei, hoffentlich hielt sich aber das Wetter, heute Mittag habe es leicht getröpfelt. Weiter fiel mir dazu nichts ein. Geplauder über das Wetter führten mich häufig in eine Sackgasse. Dabei hätte ich gerne jemandem von den Sonnenstrahlen erzählt, die mich wie einen Schutzmantel umfingen, wenn ich alleine war. Aber wie sollte ich dieses Gefühl zum Ausdruck bringen und wozu vor dieser Person?

Aber Theresa griff das Wetterthema problemlos auf. Damit schien sie sich auszukennen, denn sie sprach flüssig und ohne zu stocken von den milden Temperaturen in Berlin und wie sie sich an eine Rückkehr aus dem nassen Hamburg anschlossen. Ich bewunderte sie dafür.

Während sie redete, setzte sie ihren Hut ab und fächelte sich damit Luft zu. Ein zarter Flaum klebte fest an ihrer Schläfe, zu fest, als dass er sich hätte aufwirbeln lassen. Sie strich sich durchs Haar und rückte ihre Spangen zurecht und tat dabei so ungezwungen, als hätte sie eine vertraute Person neben sich und keinen Fremden. Da trat Helene aus der Tür.

„Theresa, wie schön, dass du da bist."

Sie umarmte die Freundin und küsste sie auf beide Wangen.

„Hab ich mich doch nicht verhört. Hattest du eine gute Fahrt?"

Ob jemand eine gute Fahrt gehabt hatte, war eine gute Frage, dachte ich, die musste ich mir merken.

„Komm, ich zeige dir, wo du schläfst. Bei mir im Zimmer nämlich", sagte Helene. „Ist das alles dein Gepäck?"

Sie ging zu den stoffbezogenen Koffern, die zwar groß waren, aber nicht schwer.

„Georg, hilf uns mal", sagte Helene, wobei ihr *pluralis imperialis* auch Theresa zum Helfen einband, die über die Arbeitsanweisung so erstaunt war, dass sie keine Einsprüche erhob. Im Foyer kamen wir an dem Bild vorbei, das früher am Tag für so viel Aufruhr gesorgt hatte. Helene und ich tauschten schnelle Blicke. Doch Theresa schien nichts zu bemerken: weder das Bild noch den Staubrand noch unser spöttisches Grinsen. Auf der großen Treppe kam uns Luise entgegen.

„Wo wollt ihr hin?", fragte sie in einem scharfen Tonfall.

„Das ist Theresa Krause", stellte Helene stolz ihre Freundin vor. „Ich habe dir doch schon so viel von ihr erzählt!"

Luise reichte der Besucherin die Hand, wobei sie nicht den Anschein machte, Theresa aus irgendwelchen Erzählungen kennen zu müssen.

„Theresa schläft…", Luise ging im Kopf die Bettenverteilung durch und schob dabei ihren Kiefer wichtig nach vorne.

„…bei mir im Zimmer", verkürzte Helene den Auftritt der großen Schwester. „Kommt weiter!"

Als wir die Salons im ersten Stock betraten, verschlug es Theresa die Sprache, wie den meisten, die zum ersten Mal in die oberen Repräsentanzräume kamen. Über die Wände floss grüne Seide, durchwoben mit goldenen Fäden kostbarster Natur. Darin rankten sich bourbonische Lilien von der Lambrie bis zur Decke hinauf. Davor stand ein mit Intarsien verziertes Fauteuil, ein derart graziles Möbel, dass darauf niemand hätte zu sitzen gewagt. Von Nutzen befreit, tat es dem Raum keinen anderen

Dienst, außer ihn fürstlich zu zieren. Daneben lag, auf einem mit Samt bezogenen Tischlein, ein Tablett mit Schnörkelgravur, das unbenutzt seiner Tage ruhte. Ich hatte mich schon oft gefragt, wozu der Tisch ein Tablett mit Gravur brauchte, das seinen Platz ja doch nie verließ, um eines zum anderen zu tragen. Nur, damit darauf ein weiteres Tablett liegen konnte, dieses nun aus Ebenholz, vier silberne Becher mit Goldrand tragend. Becher, aus denen keiner mehr trank und an deren Boden, im Frühjahr schon, mehrere Fliegen ihr Ende gefunden hatten.

Theresa sah aus, als ob sie auf Wolken wandelte, und ging staunend in den nächsten Salon. Dort blieb sie vor den Ölgemälden stehen. Auf dem ersten rissen drei Hunde einen glänzenden Hirschen in Öl. Eine Leinwand weiter folgte dem Vergnügen eine Jagdgesellschaft in roten Kostümen. Auf einer dritten Leinwand dann lief der Blick aufs Schloss zu. Davor flanierten, von Kavalieren flankiert, elegante Damen in ausladenden Röcken und Sonnenschirmen. So hatte Theresa sich das Schlossleben wohl eher vorgestellt. Stattdessen schleppte sie Koffer. Weiter ging es durch die Tapetentür. Hinaus auf einen schmalen Gang, in dem es nach feuchtem Stein roch. Einmal um die Ecke. Noch mal um die Ecke.

„Dass ihr euch hier nicht verirrt!", rief Theresa und griff nach meinem Arm, um sich bei mir einzuhängen. Ich mochte es gar nicht, von ihr angefasst zu werden, und versteifte mich. Dann konnte sie ihre Neugier wohl nicht mehr zurückhalten und fragte, wobei sie ihre Hand auf meine legte:

„Sag mal, wirst du das alles hier einmal erben?"

47

Konnte mir bitte jemand diese Frau vom Hals halten? Ich hasste diese Fragerei. Aber es war immer das Gleiche: Menschen sahen ein Schloss und wollten dann, als wäre es ihr gutes Recht, genau wissen, wer welche Räume bewohnte, wie viel Hektar Land dazugehörten und wie teuer die Parkpflege war. Den meisten fiel gar nicht auf, dass sie in ihrer Neugier eine Grenze überschritten. Ich löcherte fremde Menschen doch auch nicht mit Fragen, wie bei ihnen zu Hause die Betten verteilt waren.

Wir bogen auf den langen Flur ein, von dem zur rechten Seite hin sechs Türen abgingen. Schaute man von hier aus nach links, konnte man in den Innenhof sehen, wo die Dienstboten gerade die einzige Palme in Mecklenburg aufstellten. Da öffnete sich die hinterste der sechs Türen und Mutter trat auf den Flur. Sie schaute nachdenklich auf den Boden. Erst als sie uns sah, klärte sich ihr Gesicht wieder auf.

„Theresa!", rief sie. „Wie schön, dass du da bist. Hattest du eine gute Fahrt?"

„Ja, Frau Gräfin", bedankte sich Theresa.

Sie hatte Frau Gräfin gesagt! Damit hatte sie Mutter falsch angeredet. Frau Gräfin sagten höchstens die Handelsvertreter. Ansonsten wusste hier jeder, dass meine Mutter mit *Ihre Erlaucht* anzureden war. Aber Mutter tat, als wäre nichts gewesen.

„Ich hab mich schon gesorgt, weil gar kein Telegramm angekommen ist, wann du vom Bahnhof abgeholt werden möchtest."

„Ach wissen Sie, Frau Gräfin", erklärte Theresa, „ich fahre nie mit den Öffentlichen. Ich wurde gefahren."

48

Mutter zog eine Augenbraue hoch. Dann fielen ihr die Koffer auf.

„Ist das alles dein Gepäck?"

„Ja, Frau Gräfin."

Konnte sie endlich aufhören, in jedem Satz Frau Gräfin zu sagen? Das war ja nicht auszuhalten!

„Weißt du schon, wo du untergebracht bist?"

Die Mädchen nickten eifrig, zogen an Mutter vorbei und mich hinter sich her.

8

Die Gräfin Plasbalg trat auf die Galerie des Foyers. Eigentlich hatte sie oben nach Luise schauen wollen, doch die war nicht mehr in ihrem Zimmer. Durch das geschnitzte Treppengeländer hindurch blieb ihr Blick an dem neuen Bild hängen. Sie schüttelte den Kopf. Was hatte ihr Mann da nur wieder angerichtet. Langsam stieg sie die Stufen hinab und baute sich vor dem Porträt auf. Wo hatte er das nur wieder her?

Wirklich zu wundern brauchte sie sich allerdings nicht. Auf seine Kunstsammlung war ihr Mann besonders stolz, was zwischen Siegelring und Ackerwagen die wenigsten nachvollziehen konnten; wenn nicht gar schlimmer: Seine Leidenschaft galt unter dem Landadel als dekadent und verdächtig bildungsgesteuert. Die Gräfin hatte eine eigene These zu seinem unermüdlichen Sammeln von Bildern entwickelt. In ihren Augen blieb Kunst im Vergleich mit den großen Fragen der Zeit – Inflation, Rekonstruktion, Revolution – nebensächlich, aber immerhin so relevant, dass ihr Mann durch seine Bilder der drohenden Degeneration eines provinziellen Gutsherrn entkommen konnte. Trotzdem, bei aller Liebe und allem Verständnis, überkam sie beim Betrachten des Bildes jetzt die Eifersucht. Wer war die Porträtierte? Hatte ihr Mann eine Geliebte? Eine Affäre? Vielleicht sogar mit diesem Modell, das ihr nun im eigenen Haus frech vor die Nase gehängt wurde?

Allerdings tat sie sich schwer damit, hinter den reduzierten, geometrischen Formen noch einen

Menschen aus Fleisch und Blut zu erkennen. Es könnte jede sein und keine zugleich. Sie beschloss, noch mal mit ihrem Mann zu reden. So oder so konnte das Bild hier auf keinen Fall hängen bleiben. Schon allein wegen des Staubrandes nicht. Wie hatte er sich das nur vorgestellt!

„Ist es nicht wunderbar kraftvoll, Adele?", fragte ihr Mann plötzlich über ihre Schulter hinweg. „Wahrhaft futuristisch. Ein Mensch aus einzelnen Bausteinen wie ein Haus oder ein Mathematikmodell."

Er schien gar nicht auf das Augenscheinliche zu achten, überlegte sie, und ihre Eifersucht legte sich. Das Problem war damit aber nicht gelöst. Das Bild musste weg.

„Warum musst du es unseren Töchtern nur so schwermachen?", fragte sie und dachte an die Tränen von Luise, die doch so selten weinte.

„Das sind doch alles kleinadelige Zwänge!", erwiderte er und zitierte einen seiner vielen Lieblingssätze: „Freiheit kriegt man nicht geschenkt. Man muss sie sich nehmen."

Sie nickte, gezwungenermaßen, schließlich hatte sie, die Bürgerliche, ihren Mann nur heiraten können, weil der sich über das ungeschriebene Gesetz des Adels hinweggesetzt hatte, innerhalb des eigenen Standes zu heiraten. Aber musste sie deshalb jedes Theater mitmachen?

„Und ich nehme mir in meinem Haus die Freiheit, an meine Wand zu hängen, was ich will", fuhr ihr Mann fort.

„Ich überlege ja nur", erwiderte sie, „ob es nicht einen *noch* besseren Platz für dieses Werk gibt."

Ihr Mann schwieg.

Sie ging in Gedanken die Wände durch, die für das Bild in Frage kamen, und dachte daran, dass auf dem Kaminsims im roten Salon die Flaschen mit Hochprozentigem standen; dort die Wahrnehmung am schnellsten verschwamm.

„Ich kann es mir im roten Salon gut vorstellen", sagte sie.

Ihr Mann schwieg.

„Wenn man dort vorm Kamin sitzt, kann man sich doch viel besser mit dem Werk auseinandersetzen als im Vorbeigehen."

Er nickte, „aber…"

„Aber dann muss hier natürlich ein anderes Bild hängen", unterbrach sie ihn. „Und das muss ein Hochformat sein."

Ihr Mann schwieg, verzog den Mund.

Wie Eheleute es nun einmal tun, wenn sie wissen, dass sie erst mal keinen Konsens finden werden, wählte sie flugs ein neues, allgemeineres Thema.

„Meinst du, es geht unserem Jüngsten gut?", fragte sie. „Er kapselt sich so ab. Das macht mir Sorge. Weißt du, womit er sich im Moment beschäftigt? Hat er Schwierigkeiten?"

Ihr Mann schüttelte den Kopf.

„Ich weiß nichts Konkretes. Aber ich kann mir nicht vorstellen, dass es schlimm ist. Er wird eben erwachsen."

Sie ließ sich von ihm beruhigen. Was wusste sie auch schon von heranwachsenden Männern? Brüder hatte sie keine und Kontakt zum männlichen Geschlecht hatte es in ihrer Jugend nie gegeben. Sie war sorgfältig abgeschirmt worden, weil ihr Vater immer der Meinung gewesen war, dass alle nur seinem Vermögen hinterher waren. Es hatte an ein kleines Wunder gegrenzt, dass sie ihren heutigen Mann überhaupt kennenlernen konnte.

Das war in den Sommerferien passiert, die Adele jedes Jahr mit ihren Eltern im Ostseebad Heiligendamm verbrachte. Zwar reiste man damals schon nach Spanien oder in die Toskana, doch ihre Eltern bevorzugten es, die Sommerfrische immer im selben Hotel zu erleben. Dort hatten sie sich in der wilhelminischen Badegesellschaft aus Industrie und Adel gut etabliert. So gut, dass der Concierge ihnen sogar eine Loge beim Pferderennen in Bad Doberan reservierte.

Bei einem dieser Pferderennen war ihr zukünftiger Mann dann bei ihrer Familie aufgetaucht, hatte den Reeder aus Bremerhaven in ein Gespräch verwickelt und es irgendwie zustande gebracht, dass er der hübschen Tochter die Pferdeställe zeigen durfte. Zwei Treffen später kam der Heiratsantrag, und so bestätigte sich auf ein Neues, was Kaiser Wilhelm als *Fonds und Vons, die schnell zueinander finden* beschrieb; was in den Städten gängige Praxis sein mochte, auf dem Land aber alles andere als eine Selbstverständlichkeit war.

9

Als wir endlich mit Theresas ganzem Gepäck in Helenes Zimmer angekommen waren, schwang ich mich auf die Fensterbank. Am unteren Ende stand ein Bücherregal. Ich zog mir ein Buch heraus und blätterte darin, ohne eine Seite zu Ende zu lesen. Die Mädchen öffneten Theresas Koffer und hängten die Kleider auf Bügel, damit sich die Reisefalten glätten konnten. Theresa stellte sich dabei nicht sehr geschickt an. Ihre Kleider rutschten gleich wieder herunter, bis Helene ihr zeigte, dass man die Strippen, die an den Innenseiten der Kleider angenäht waren, über den Haken des Bügels ziehen musste.

„Ich habe mich immer schon gewundert, wofür die da sind", meinte Theresa. Dann fand sie, dass ein Dienstmädchen den Rest machen sollte, weil sie eine Erfrischung zu sich nehmen wollte.

„Die Dienstboten haben keine Zeit. Die sind alle mit den Vorbereitungen beschäftigt", sagte Helene, die lieber unbeobachtet mit ihrer Freundin blieb. Ich zählte da nicht. Langsam schienen Theresa Zweifel zu kommen, ob das Landgrafenleben wirklich so verlockend war, wenn es doch anscheinend immer Wichtigeres zu tun gab, als einem Gast die Tür zu öffnen oder die Kleider aufzuhängen. Geplagt ließ sie sich in die dicken Kissen eines Sofas sinken und wedelte sich mit ihrem weißen Fächer aus echten Federn Luft zu.

„Euer Stallbursche ist ganz schön aufmüpfig."

Das hätte sie mal lieber nicht sagen sollen.

„Meinst du etwa Heiner?"

Helenes Stimme klang scharf.

„Was weiß ich, ob der Heiner heißt. Ich hab ihn nicht nach seinem Namen gefragt." Theresa stieß ein heiseres Lachen aus. „Das wäre ja noch schöner."

„Heiner fährt nächste Woche nach Berlin", erwiderte Helene, die wohl etwas Nettes über Heiner sagen wollte. „Er geht dann auch ins Nelson."

„Ins Nelson, ach ja? Lassen sie da jetzt schon Stallburschen rein?"

Helene erklärte, dass Heiners Bruder am Nelson arbeitete.

„Im Nelson bin ich letzte Woche erst gewesen", sagte Theresa wie nebenbei. Aber Helene wollte noch mehr über das Nelson wissen. Theresa musste ihr jedes Detail genau berichten. Und alles, was Helene nun zu Ohren kam, schien ihr gut zu gefallen. Vor allem, dass die Kellner im Nelson Frack trugen und von den Gästen nur dadurch zu unterscheiden waren, dass sie eine schwarze Fliege trugen, während die Gäste eine weiße Fliege trugen. Ob Heiners Bruder dort auch Frack trug? Irgendwie konnte ich mir das nicht vorstellen. Heiners Bruder war doch Kommunist, oder gab es das etwa auch, Kommunisten im Frack?

Da stieß Helene einen bewundernden Pfiff aus und zog ein Kleid aus Theresas Koffer, das glänzte, als wäre es aus schillernden Schuppen.

„Das hatte ich im Nelson an", kam prompt der Kommentar aus den Sofakissen.

Sofort wollte Helene das Kleid anprobieren und verschwand damit hinterm Paravent. Doch das Kleid passte ihr nicht, weil die Träger zu kurz waren, und sie darin aussah wie selbst auf einen Bügel gehängt.

„Aber für morgen hast du ja ein Schönes", tröstete sie Theresa.

„Das werde ich aber leider nicht anziehen können."

„Warum das denn nicht?"

„Luise findet es zu kurz", sagte Helene und schob die Unterlippe vor.

„Zu kurz? Ich bitte Dich, das ist doch nicht zu kurz! Das geht doch übers Knie."

„...und *ordinär*", dachte Helene, doch das sagte sie lieber nicht. Sie lief wieder hinter den Paravent und zog ihr eigenes Mousselinkleid an. Dann steckte sie die Hände in die Taschen, wo sich noch immer der Brief befand. Sie zog ihn heraus.

„Was soll man bitte davon halten?", fragte Helene und hielt ihn Theresa vor die Nase. Die las die kurze Notiz, dann flüsterte sie:

„Von *dem* Charles-Édouard?" Wobei sie das *dem* vor dem Namen wie einen Titel in die Länge zog.

„Von *dem* Charles-Édouard", wiederholte Helene.

„Was kann das nur für eine Überraschung sein?"

„Luise sagt, es könnte ein Verlobungsring sein", log Helene. Theresa wedelte hektisch mit ihrem Fächer.

„Aber so gut kennt ihr euch auch wieder nicht. Außerdem ist er nicht adelig."

„Das macht doch nichts." Helene hüpfte vor den Spiegel und tupfte sich Rouge auf die Wangen. „Bei meinen Eltern ging das auch ganz schnell. Drei Mal haben sie sich gesehen und schon hatte meine Mutter einen Ring am Finger."

„Aber das war doch noch zu Kaisers Zeiten", widersprach Theresa. Dann erzählte sie, dass Charles-Édouard häufig ins Nelson ging. Helene machte keinen Hehl draus, sie wollte auch in dieses Nelson. Dann schwärmte sie:

„Charles-Édouard sieht so gut aus, findest du nicht?"

Die Freundin antwortete nicht.

„Theresa! Das kannst du nun wirklich nicht sagen, dass er nicht gut aussieht."

Theresas Kopf wippte hin und wippte her.

„Er sieht ganz gut aus."

„Sooo gut!", rief Helene und stampfte tatsächlich mit dem Fuß auf.

„Aber jetzt hilf mir doch mal! Was meint er denn damit, wenn er *dann doch* schreibt?"

Aber Theresa hatte beschlossen, nicht weiter über dieses Thema zu reden, hatte sich in die Kissen sinken lassen und döste bereits. Daraufhin warf Helene sich missmutig aufs Bett, drehte sich auf den Rücken, verschränkte die Hände hinter ihrem Kopf und starrte schweigend die Zimmerdecke an.

Dann doch, überlegte ich auf der Fensterbank weiter. Wann tat man schon mal etwas

dann doch?

Dann doch ließ sich ein Examen bestehen,

   dann doch ein Kredit von der Bank ergattern,

      dann doch vorm Regen die Ernte einfahren,

… es lag auf der Hand, dem Entschluss musste eine Anstrengung vorangegangen sein, aber welche?

10

Nach dem gemeinsamen Abendessen, das, wie so oft in den letzten Monaten von der Festplanung dominiert wurde, nur dass heute alle noch aufgeregter waren, ging ich auf mein Zimmer. Dort griff ich mir das Buch, das mir die Herrengesellschaft zur Begrüßung geschenkt hatte, und las darin vom großen deutschen Gedanken. Von der Erwartung auf ein tausendjähriges Reich. Dem Anbruch eines dritten Zeitalters, in dem das deutsche Volk seine Bestimmung auf Erden erfüllen würde.

Damit dies zu erreichen war, führte der Autor eine detaillierte Feindbeschreibung auf. Revolutionär durfte man nicht sein, nicht sozialistisch, nicht liberal oder demokratisch. Sowieso nicht proletarisch. Einem Reaktionär maß dieses Buch etwas Anerkennung zu. Doch den einzig rechten Weg schien nur der Konservative zu kennen: Wer fortsetzte, was andere begonnen hatten und sein Werk an die nächste Generation weitergab, damit die es wiederum fortführen konnte.

Leider stand hier nichts darüber, was einer tun sollte, wenn er sich nicht fähig glaubte, sein Erbe anzutreten. Die Vorbestimmung keinen Glanz, sondern inneres Elend hervorrief. Mein Blick glitt von den Zeilen. Draußen trieb der Wind eine Welle über die grünschimmernden Ähren, da klopfte es fest an meiner Tür. Es war Luise. Was wollte die jetzt schon wieder von mir? Sie setzte sich neben mich, nahm meine Hand und fragte nach dem

Treffen der Herrengesellschaft. Aber ich hatte keine Lust, darüber zu reden.

„Bitte Georg", bettelte sie, „erzähl es mir doch!"

Ich wusste, sie würde nicht lockerlassen. Also kürzte ich die Fragestunde ab und berichtete, was sie vor allem wissen wollte.

„Ja, er hat nach dir gefragt!"

Luises Freude darüber war nicht zu übersehen.

„Wirklich? Was hat er denn gesagt?"

„Hat schöne Grüße ausrichten lassen."

„Und das sagst du mir erst jetzt?", beschwerte sie sich und warf mir ein Kissen an den Kopf. Dann wurde sie ernst und sagte mit Nachdruck:

„Es ist mir sehr wichtig, dass unsere Familie einen guten Eindruck bei Jochen macht."

Ich nickte. Konnte mir aber nicht vorstellen, wie das gelingen sollte.

∞

In dieser Nacht warfen die Bäume lange Schatten und auf dem See glitzerte Mondstaub. Meine Augen flackerten. Mein Bein zuckte. Ich warf mich von einer Seite zur anderen, wühlte in den Kissen. Für einen kurzen Moment war ich wach und glaubte, es die ganze Zeit zu sein. Wie kann man auch schlafen, wenn man doch rennt? Ich renne durch ein Stadion. Trage eine weiße, kurze Hose und ein weißes, enges Leibchen. Ich bin nicht alleine. Um mich herum rennt eine Masse. Alle tragen weiße Hosen und enge Leibchen. In meiner Faust steckt ein Stab. Bei jedem Satz schnellt er nach vorne, hoch und höher. Es braust in meinen Ohren. Endlich übergebe ich den Stab an einen wie Heiner. Mein Oberkörper kippt vorne über. Meine Schädeldecke pocht, als wollte sie zerspringen. Zitternde Knie, wie Würmer in den Beinen. Mein Fuß in einer roten Lache. Zwischen den Zehen quillt Blut. Ich will einen Schritt zur Seite gehen, aber ich kann mich nicht bewegen. Kann nur noch zusehen, wie mein Leben aus mir heraustropft. Hinter mir eine Menge. Um mich herum eine Menge. Ich schreie. Würmer schlürfen mein Blut. Spucken es im hohen Bogen wieder aus. Warum hilft mir denn keiner? Ich brauche einen Arzt. Da kommt der Läufer mit dem Stab um die Kurve. Nein, schreie ich, nein, nein. Doch der Läufer wird auf der Geraden immer schneller, kommt näher, fünfzig Meter noch…, fünfzig Meter Schonung, doch fünfzig Meter Lähmung …über mir Geier; …vierzig Meter noch…, vierzig Meter Frieden, doch vierzig Meter Qual…über mir Schatten…

… da schlug ich die Augen auf. Ich musste den Stab übernehmen. Musste meine Hand heben. Ich hob nicht nur die Hand, ich streckte gleich den ganzen Arm, wie einen Fahnenmast, unter der Bettdecke nach oben. Wieso konnte ich mich plötzlich wieder bewegen? Das alles war recht sonderbar. Was machte ich da eigentlich? Warum sollte ich mich nicht bewegen können?

„Doch nicht in all dem Blut!", ertönte es.

Ich schoss hoch und riss meine Augen weit auf.

„Wer hat das gesagt?", rief ich wütend in den leeren Raum, doch eine Antwort blieb aus. Da sah ich meinen Schreibtisch, erkannte den Schrank und die Vorhänge, die sachte im Nachtwind wehten. Ich war in meinem Zimmer, in meinem Bett. Alles war gut, alles nur geträumt. Ich schüttelte mich.

Dann schlug ich die Bettdecke zurück und sprang auf meine tadellosen Beine, die mich tadellos zum Fenster trugen.

Von hier aus konnte ich den Vollmond sehen, der silbernes Licht über die Ferne legte. Am liebsten wäre ich jetzt im Wald, allein auf der dunklen Kanzel, und würde den Wildschweinen entgegenfiebern, die sich durch ihr Grunzen und lautes Knacken in der Fichtenschonung ankündigten. Wann würde ich endlich wieder auf die Jagd gehen können, ohne von düsteren Gedanken verfolgt zu werden? Ich sollte in einen anderen Körper schlüpfen. Oder mir ein Glas Wasser holen. Oder am Fenster stehen bleiben, das Kornfeld ansehen und auskosten, dass niemand mich dabei störte.

Ich entschied mich für Option zwei und zog meinen Morgenmantel vom Stuhl. Dann öffnete ich die schwere Eichentür meines Zimmers und trat auf den Flur. Die breiten Dielen ächzten unter meinem Gewicht. Ab jetzt achtete ich darauf, nur noch auf die leisen Stellen zu treten. Allerdings war die Gefahr, jemanden aufzuwecken, nur gering. Knarrendes Holz gehörte zu den üblichen nächtlichen Schlossgeräuschen, genauso wie klappernde Fensterrahmen oder von Geisterhand umgeworfene Gegenstände.

Ich trat auf die obere Galerie. Vor mir lagen die Hunde und schliefen. Einer der beiden hob den Kopf, öffnete kurz die Augen, doch Grund zum Alarm sah er nicht, war ja bloß einer von der Familie. Ich kniete mich hin, kraulte eine der Doggen hinterm Ohr und schaute dabei hoch zu den Gemälden der Ahnengalerie.

Das Bild über mir zeigte einen meiner Vorfahren aus dem siebzehnten Jahrhundert. Er trug einen weiten Mantel, weiße Locken und bunte Orden an einer dicken Schärpe. Die Orden hatten ihm seine guten Beziehungen zu Wallenstein eingebracht, wusste ich, genauso wie genügend Geld, um hier, wo jetzt das Schloss stand, eine Burg zu bauen. Die Burg hatte bis zu den napoleonischen Kriegen überdauert. Dann war sie abgebrannt.

Heute stammte aus dieser Zeit nur noch der Seitenteil, in dem die Gästezimmer lagen. Die Bauweise war anders als die vom Rest des Schlosses: die Mauern dicker, die Decken niedriger. Meine Mutter war immer etwas in Sorge, ob man Gästen diese Räume zumuten konnte, doch die Angereisten lobten stets den ländlichen Charme. Sicherheitshalber hatte meine Mutter die Zimmer vor ein paar Jahren renovieren lassen. Nun hatte jedes ein eigenes Bad mit heißem und kaltem Wasser und Waschtische aus italienischem Marmor.

Der nächste wichtige Ahne war ein Bild weiter zu sehen. Er trug die blaurote Uniform der preußischen Armee. Zu Lebzeiten schon eine Legende, hatte er noch auf der Asche der alten Burg ein prächtiges Schloss gebaut. Das war ihm unter anderem deswegen gelungen, weil er vorteilhaft geheiratet hatte: eine Frau aus dem herzoglichen Hause Mecklenburg-Strelitz. Auf diese Weise war er nicht nur mit dem Herzog verwandt gewesen, sondern auch mit dem preußischen König, schließlich war seine Frau eine Kusine der hochverehrten Königin Luise; das sahen die Geldgeber gern.

Ich ging weiter, vorbei an zwei oval gerahmten Köpfen, dann stand ich vor dem Porträt meines Vaters. Er hatte sich auf einem tuaregblauen

Sitzkissen abbilden lassen. In der Landschaft hinter ihm badeten Wassernixen. Am Horizont lugte der Eifelturm hervor. Schon damals trug mein Vater seine komischen Hosenträger. Er musste immer schon ein wenig verrückt gewesen sein, dachte ich.

Dann stieg ich die Treppe hinab und begann leise vor mich hinzusummen: „Eine Stufe für den Wallenstein … und eine für Napoleon …" Das war eigentlich nicht mehr als ein harmloses Spiel aus Kindertagen, das mir in diesem Moment einfiel, weil wir es oft auf dieser Treppe gespielt hatten. Es ging so, dass jeder Schritt gewidmet wurde, indem jede Stufe einen Namen bekam; doch es kam alles andere als harmlos.

Eine Stufe für den Kaiser
Und eine für die Mutter

Eine Stufe für den Vater
Und eine für die verliebte Schwester

Die nächste für die Kluge

Mit beiden Beinen, zwei in einem, *allez hopp,* im großen Satz. Das knallte laut im Foyer. Ich erschrak und lauschte in die Dunkelheit hinein, doch alles blieb ruhig. Dann setzte ich mich auf die unterste Treppenstufe. Vor mir hing das umstrittene Bild, und ehe ich mich versah, hatte es mich zu sich hinabgezogen. Die Gemalte sah aus, als spiegelte sie sich auf mehreren Flächen gleichzeitig. Zwei Seelen, ach so schwer in einer Brust, würden für diese Person nicht ausreichen. Zwei Seelen waren noch zu wenig, sieben müssten es schon sein, für jede Spiegelfläche eine.

Eine Seele für den Erben
Und eine für den Knecht
Eine Seele für den Reiter
Und eine für den Hasenfuß

Die Verse kamen mir wie eine Melodie über die Lippen, und so versank ich in mich von innen wie von außen.

Eine Seele für den Geist, der stets vergisst
Eine für den Stolz, der alles behält
Eine Letzte dann dem Herz
das hinter dicker Kruste heftig pochte

Mein Herz. Mein Stolz. Mein Geist. Es schüttelte mich, als ich mich an diesen Begriffen zurücktastete wie an einer Kette, Glied für Glied.

Meine Angst
Meine Sehnsucht
Mein Gefängnis
Und meine Funktion

… da begriff ich, flüsternd leise, das Bild auf eine neue Weise. Ich stand auf, hob es vom Haken und irrte damit durch die Salons, bis ich es zuletzt hinter einen Schrank schob. An diesem Schrank lehnte vorne ein anderes Ölbild, auf dem eine Allee im Wind rauschte und viel Grün und Gelb von den Bäumen tropfte. Dieses Bild, entschied ich, war harmlos und konnte ohne Probleme im Foyer hängen; aber nicht das andere, das mich und meine innere Zerrissenheit jedem, der es sah, verraten könnte.

Am nächsten Tag fragte Vater jeden nach dem Verbleib seines Gemäldes. Aber Mutter zuckte die Schultern. Gusta zuckte die Schultern. Keiner konnte den Fall aufklären. Dass ich als Täter in Frage kam, schien ihm gar nicht in den Sinn zu kommen. Am Ende blieb ihm nichts anderes übrig, als den Hausgeist dafür verantwortlich zu machen. Und weil mein Vater der Überzeugung war, dass Hausgeister bei Laune gehalten werden mussten, beschloss er, weitere Opfergaben bereitzulegen, indem er alle Bilder in der Eingangshalle abnahm und an ihre Plätze dickbeschmierte Impressionistenbilder hängte; wovon ihn niemand abhalten konnte, nicht einmal Luise.

11

Am nächsten Abend reichte die Schlange der anreisenden Kutschen und Karossen vom Schloss bis zur Dorfstraße hinunter, die man mit bunten Bändern zur Linken wie zur Rechten großzügig geschmückt hatte. In einer der Kutschen saßen Jochen und Axel. Axel verhielt sich mürrisch, denn er teilte die Ansicht ihres Vaters, dass man eine Einladung nach Schloss Plasbalg besser ausließ. Axel war nur mitgekommen, weil Jochen darauf bestanden hatte.

„Halten die da vorne Hof oder warum dauert das so lange?", schimpfte er.

„Beruhige dich", sagte Jochen. „Es geht doch voran."

„Wir hätten doch die Pferde nehmen sollen und nicht die Kutsche", meckerte Axel weiter und wurde noch missgelaunter, als er zwei Kavaliere an der Schlange vorbeireiten sah. Immerhin setzte die Kutsche sich wieder in Bewegung. Doch sie kamen nur ein paar Meter voran. Dann standen sie wieder. Axel schaute zur Seite in den Park und schlug die Hand vor den Mund.

„Du ahnst es nicht, mein Gott, sieh dir das an!"

Neben ihnen erstreckte sich über den Rasen ein Feld aus Lampions, die in allen Farben des Sommers hell leuchteten. Axel pfiff durch die Zähne.

„Die müssen es ja nötig haben."

„Wieso? Ist doch hübsch gemacht."

Axel schaute seinen Bruder misstrauisch an.

„Ach was! Das ist doch überflüssiger Plunder."

In gewisser Weise musste Jochen seinem jüngeren Bruder recht geben, schließlich waren sie in einer Philosophie der Kargheit erzogen worden, nach der luxuriöse Dekoration als Merkmal von Neureichen stark ablehnt wurde. Aber Jochen wollte sich jetzt davon nicht vereinnahmen lassen, sondern lieber in Ruhe seinen Gedanken nachgehen, die ihn zu Luise trugen. Doch Axel unterbrach ihn.

„Du weißt schon, dass die Mutter eine Geworfene und keine Geborene ist."

„Ja und? Warum sollte mich das interessieren?"

Doch so einfach ließ Axel seinen älteren Bruder nicht vom Haken. Jochen musste sich anhören, was er zu sagen hatte, ob er wollte oder nicht.

„Bei so einer musst du vorsichtig sein", erklärte er mit eindringlicher Stimme. „Die sind anders als wir. Das kriegst du nie ganz aus ihnen raus."

„Lass das mal meine Sorge sein", zischte Jochen. „Ich weiß schon, was ich tue."

Als sie aus der Kutsche stiegen, leitete ein mit brennenden Fackeln gesäumter Weg am Haupteingang vorbei zum Seitengiebel, von wo aus man in den Innenhof gelangte. Auf halber Strecke erwartete sie ein Dienstmädchen und bot ihnen kristallenen Champagner an. Axel verzog das Gesicht und zeigte angewidert mit dem Finger auf das rosarot gepunktete Papierschirmchen, auf dem drei Johannisbeeren aufgespießt waren.

„Noch Fragen?"

„Axel, wir sind hier Gast. Also hör endlich auf zu lästern!"

Unter einer Lorbeergirlande hindurch liefen sie durch den Torbogen. Im Innenhof versammelte sich die Festgesellschaft um eine dicke Palme. Gleich hinter dem Tor standen die Gastgeber, Graf und Gräfin Plasbalg, und nahmen die beiden Herren besonders herzlich in Empfang. Jochen erwiderte die Begrüßung mit den besten Manieren und größter Liebenswürdigkeit, während Axel sich nicht regte, sondern den Hausherrn ungläubig anstarrte, denn dieser trug in seinem Knopfloch eine übergroße Seidenblume, die genauso rosarot gepunktet war wie die Schirmchen in den Champagnerschalen. Jochen verpasste Axel einen Hieb in die Rippen und wollte sich für das Verhalten seines Bruders entschuldigen, doch die Gastgeber hatten sich bereits den nächsten eintreffenden Gästen zugewandt.

„Was soll das?", zischte Jochen Axel zu. „Benimm dich gefälligst!"

Axel tippte sich mit dem Zeigefinger gegen die Stirn und lief kopfschüttelnd Jochen hinterher, der als Nächstes Helene begrüßte. Dann sah er Theresa. Ihr glitzerndes Kleid, den schwarzen Fächer aus echten Federn. Und von diesem Moment an würde Axel sein Leben lang ein genaues Bild im Kopf haben, wie ein dekadentes Stadtweib auszusehen hatte.

Nichtsahnend streckte Theresa ihnen die Hand entgegen, zart wie eine Feder, wobei sie sich sehr galant gab und die Herren mit *enchantez* auf Französisch begrüßte. Jochen überspielte den laschen Händedruck, indem er ihr einen Handkuss gab, obwohl Theresa ihrem Stand und Alter nach kein Handkuss zustand. Axel dagegen nutzte die Situation aus und zerquetschte Theresas Finger mit Absicht.

„Au", rief Theresa und rieb sich vorwurfsvoll den Knöchel.

„Wer keinen gesunden Händedruck hat, ist nur ein halber Mensch", rief Axel, woraufhin Helene

68

eine heimliche Schadenfreude überkam, die sich von der mangelnden Hilfsbereitschaft herleitete, welche Theresa während der Vorbereitungen an den Tag gelegt hatte: Selbst das Aufstellen der bunten Lampions war ihr zu viel gewesen, und sie hatte partout nicht einsehen wollen, warum die Dienstboten sich nicht darum kümmern konnten. Sie hatte sich dauernd beklagt – über die Sommerhitze, den weiten Weg in den Garten – und am Ende hatte Helene alles allein machen müssen.

Es war einzig und allein der verlässlichen Höflichkeit Jochens zu verdanken, dass sich aus dieser Situation noch ein Gespräch entwickeln konnte. Allerdings überspannte Helene während der nun folgenden Konversation das Maß an Unaufmerksamkeit, die man auf einem Empfang jedem zugestand, weil doch alle in ihren Gesprächen gleichzeitig Ausschau hielten, wer unter den Gästen noch zu begrüßen oder zu übersehen war. Helene schaute so oft an Jochen vorbei, dass der sich schon wunderte. Doch sie konnte nicht anders. Sie sah ihn tausend Mal. In jedem blonden Hinterkopf. In jedem Augenwinkel. Überall schien Charles-Édouard zugegen und war es dann doch nicht gewesen. Sekunden dehnten sich zu Minuten. Minuten dauerten Stunden. Sie blickte auf die Aquamarine in den Frackknöpfen, die Jochens Weste zusammenhielten, und lauschte mit halbem Ohr seiner Unterhaltung mit Theresa. Sie versuchte, Ruhe zu bewahren, und beschloss, dass sie neben dem sehr erwachsen wirkenden Jochen einen guten Stand eingenommen hatte. Axel war zum Glück inzwischen weitergegangen.

Da entdeckte sie ihn. Diesmal war er es wirklich, nicht nur eine ähnliche Frisur oder Statur. Doch er sah sie noch nicht. Helene zuppelte ihr Kleid aus grüner Wildseide glatt. Es saß etwas zu eng und rutschte bei jeder Bewegung ein Stückchen höher über ihren Po. Helene war mit der Wahl weiterhin unglücklich, sie fand sich darin schrecklich unmodern, doch man hatte ihr versichert, dass die Farbe wunderbar zu ihren grünen Augen passte. Immerhin, in diesem Kleid hatte sie Figur, was sich spätestens dann zeigte, wenn der Blick über die große Schleife an ihrem Steißbein glitt. Vielleicht sollte Charles-Édouard sie zuerst von hinten sehen?

Er stand vorne am Eingang und begrüßte gerade die Eltern, trug einen grünchangierenden Frack, einen schmalen Zylinder und sah umwerfend aus.

Sofort zu ihm hin eilen, flüsterte ein Teufelchen mit grünglitzerndem Zylinder und dampfenden Hörnern, das plötzlich auf ihrer Schulter zu sitzen schien.

Bleib behütet, warnte von der anderen Schulter ein Engelschor in weißen Kleidern und grünen Schärpen.

Unschlüssig blieb Helene neben Jochen und Theresa stehen. Bald trafen sich ihre Blicke. Aber weder ihr noch sein Gesicht ließen viel erkennen. Ihres schon gar nicht. Sie war schließlich mitten im Gespräch und köstlich amüsiert. Doch ihre Blicke suchten sich und fanden zueinander und dauerten mit jedem Mal einen Bruchteil länger, bis Helene schon das Gefühl hatte, sie würden sich ununterbrochen ansehen. Dann prostete Charles-Édouard ihr aus der Ferne zu und zuckte mit den Schultern, als täte es ihm leid, nicht sofort aus seiner Unterhaltung ausbrechen zu können, um zu ihr zu eilen. Als bemerke sie sein Bemühen gerade noch rechtzeitig und hätte ihn nicht ununterbrochen beobachtet, lächelte sie lieb.

Unterdessen gesellte Luise sich in die Runde und bedachte jeden mit einem freundlichen Lächeln, sogar Theresa. Dadurch fühlte sich Theresa ermutigt, die Geschichte, die sie gerade Jochen erzählt hatte, eigens für Luise zu wiederholen. Luise quittierte dies mit einem spöttischen Mundwinkel, wandte sich Jochen zu und flugs waren die beiden in ein erwachsenes Gespräch verwickelt. Nun hielten Theresa und Helene nur noch zu zweit die Position neben der Palme. Helene stieß Theresa in die Seite. Diese Blicke, sie wurden immer intensiver! Doch Theresa hatte nichts gesehen.

Endlich kam Charles-Édouard zu ihnen herüber. Nun konnte Helene nichts mehr davon abhalten, ihn ungebremst anzuhimmeln. Allerdings begrüßte Charles-Édouard zuerst Theresa, und so versickerte Helenes Strahlen haltlos in der Menge und konnte erst wieder erstarken, als er sich zu ihr herunterbeugte und sie auf beide Wangen küsste, nah und näher an den Lippen.

„Das wird brillant", zwitscherte Charles-Édouard und hielt sein Glas hoch. „Auf den Abend!"

Theresa tat es ihm nach. Helenes Glas war leider leer, was Theresa nicht davon abhielt, alleine mit Charles-Édouard anzustoßen. Bald unterhielten sich die Städter über aktuelle Revuen und Charles-Édouard schwärmte von irgendeiner Nacht, in der alle aufgeblieben waren bis in die frühen Morgenstunden und über die Straßen nach Hause getanzt waren. Theresa nickte und erzählte von ihrem letzten Besuch in einem Varieté. Nur Helene, die noch nie in einem Varieté gewesen war, hatte dem nichts beizusteuern. Sie wich einen Schritt zurück, woraufhin ihr Absatz im Kopfsteinpflaster stecken blieb, sie ins Wanken geriet und zwischen die Palmenwedel stolperte. Charles-Édouard lachte.

„Landmädchen suchen wohl immer die Nähe zur Natur. Das passende Tarnkleid hast du ja schon an."

Helene hatte große Mühe, die Fassung zu wahren, da sah sie ihre Mutter in der Nähe stehen. Die unterhielt sich gerade mit dem jüngsten Sohn einer befreundeten Familie, den zwar keiner kannte, den man aber trotzdem eingeladen hatte.

„Entschuldigt ihr mich einen Moment? Ich bin gleich zurück", sagte Helene zu Theresa und Charles-Édouard, was etwas übertrieben war, schließlich unterhielten die beiden sich blendend ohne Helene.

Sie ging zu ihrer Mutter und stellte sich so hin, dass Charles-Édouard ihre Rückseite sehen konnte. Während sie sich freundlich mit dem unscheinbaren Jungen unterhielt, der in einem zwei Nummern zu großen Frack steckte, drehte sie sich Stück für Stück wieder um. Doch was musste sie da mit ansehen? Theresa stand höchstvergnügt allein zwischen fünf Herren, wedelte affektiert mit ihrem Fächer und tat, als bemerke sie Helenes eifersüchtige Blicke nicht. Dann legte ihr Charles-Édouard den Arm um die Schultern und flüsterte ihr etwas ins Ohr, woraufhin die Freundin albern kicherte. Helene versuchte sich nichts anmerken zu lassen, wenngleich sie innerlich kochte.

Zu ihrer Erlösung verließ Charles-Édouard nun die Runde um Theresa und kam zu ihr herüber. Dem Jungen sagte er schnell guten Tag und dass er

Helene leider entführen müsse. Dann zog er sie so nah an sich heran, dass nur sie ihn hören konnte.

„Ich muss dir etwas zeigen", sagte er und nahm ihre Hand in seine Hand und zog Helene durch die Schar der Gäste hinter sich her.

12

Seitdem der erste Gast den Innenhof betreten hatte, fühlte ich mich wie ein Boot ohne Steuermann. Man streckte mir Hände hin. Ich nahm sie entgegen. Man küsste meine Wangen. Ich küsste ihre Wangen, aber nicht mit den Lippen. Ich fragte nach der Fahrt und lobte den warmen Sommertag. Das funktionierte so weit ganz gut.

Wichtig war dabei nur, dass die Gespräche möglichst kurz bei mir verweilten, denn weh mir und meinen blutenden Ohren, einer begann vor mir seinen Stammbaum auszurollen oder zu spekulieren, wann wir uns das letzte Mal begegnet sein könnten. Ich konnte mich an niemanden erinnern: nicht an ihre Namen und nicht an die Feste. Mir sagten im Zweifel nicht einmal die Orte etwas, wo man sich eventuell zuletzt gesehen haben könnte; was doch nicht wahr sein konnte, schließlich kannte man sich hier seit Generationen, aber momentan auch nicht zu ändern. Mein Verstand war wie blockiert. Statt zu reden, hatte ich mich auf eine merkwürdige Art der Körpersprache verlegt. Ich schwankte im Oberkörper abwechselnd nach vorne und nach hinten, dazwischen riss ich die Augen auf und ließ die Pupillen flackern. Kein Wunder eigentlich, dass man lieber nur kurz bei mir blieb und schnell zum Nächsten weiterging.

Ich hielt mich bewusst in der sicheren Nähe der Eltern auf. So wussten die Gäste wenigstens, wer ich war, und ich ersparte ihnen die Peinlichkeit, mich im eigenen Haus bei *ihnen* vorstellen zu müssen. Immerhin, die Folter der Gepflogenheiten war als Gastgeber leichter auszuhalten, als einen

Empfang im fremden Haus durchstehen zu müssen. An diesem Abend verstand es jeder und entschuldigte mich, wenn ich mich ohne weitere Erklärungen aus einem Gespräch ausklinkte. Ich wusste, ich konnte mir das erlauben. Luise bekam schließlich auch keiner länger zu fassen. Luise hatte gewiss keine Zeit für langatmige Erzählungen und verbat es sich, wenn einer das ungeschriebene Gesetz missachtete und die Gastgeberin zu lange in Beschlag nehmen wollte. Apropos Luise, wo war die eigentlich?

Ich schaute mich um und sah sie am Holztor des Innenhofs stehen. Sie kritzelte mit einer Füllfeder auf der ausgehängten Sitzordnung herum. Ich beschloss zu ihr zu gehen.

„Wer ist eigentlich meine Tischdame?", fragte ich.

Sie blickte kurz auf.

„Du sitzt …", sagte sie und überlegte einen Moment, „… ja, also du sitzt neben, wie heißt sie noch? Du kennst sie, glaube ich, nicht. Aber die Runde müsste nett werden. Sind alle dein Alter."

Ich sah meine Schwester an. Luise wirkte erschöpft.

„Jetzt trink doch auch mal einen Schluck."

Ich hielt ihr mein Glas hin.

Luise nickte ergeben.

„Gute Idee, ich hab den ganzen Tag noch nichts getrunken und das bei der Hitze. Aber was haben wir jetzt für ein Glück mit dem Wetter. Sobald alle sitzen, kann es meinetwegen donnern und schütten, wie es will."

Es wurde nur ein kleiner Schluck, vielleicht zwei. Dann ließ Luise mich stehen und lief in den Saal, um ein paar Tischkarten auszutauschen.

„Ich kann dir helfen!", rief ich ihr noch hinterher.

Doch sie winkte ab.

„Brauchst du nicht. Ich mach das schon. Irgendjemand muss ja auch die Gäste unterhalten."

Ihre Worte schlugen hart bei mir auf. Ich und die Gäste unterhalten? Was für eine abstruse Idee. Lieber blieb ich am Rande des Geschehens stehen und versuchte, niemandem in die Augen zu sehen. Da blieb mein unruhig hastender Blick an zwei jungen Frauen hängen, die erst Helene großartig begrüßten, danach aber hochmütig auf die Palme zeigten und tuschelnd zur Gästeliste kamen. Bald konnte ich, musste ich, ihrem Gespräch zuhören.

„Ich kenne die Gastgeber kaum", sagte die Erste.

„Ich ebenso wenig", sagte die Zweite. „Die haben einfach jeden eingeladen."

Am liebsten hätte ich mir die Ohren zugehalten. Doch es gab kein Entkommen, denn nachdem die beiden weitergegangen waren, kamen die nächsten, um die Tischordnung zu begutachten, und so erfuhr ich aus zweiter Hand mehr über die Gäste, als mir lieb war. Besonders gern unterhielt man sich über Geld, das ein unbekannter Dritter besaß, und – mit noch größerem Interesse –, das ein Vierter verloren hatte. Ansonsten sprach man darüber, wer sich verlobt hatte und vor wie vielen Generationen das Paar noch ersten Grades miteinander verwandt gewesen war.

„Tisch fünf", sagte plötzlich einer neben mir, aber zum Glück nicht zu mir. Er war nicht viel älter als ich, trug aber bereits eine Schärpe mit zwei Auszeichnungen. Seine Wangen waren kräftig, wenn auch fleckig durchblutet und seine kantige

Nasenspitze bog sich an ihrem unteren Ende spitz nach oben.

„Wie haben Sie sich denn so schnell gefunden?", fragte ein Mädchen neben ihm, von dem ich vermutete, das sie eine entfernte Kusine von mir war. Sie war aufgeregt und studierte eingehend die Gästeliste.

„Ich muss ja bloß nach dem längsten Namen in der Spalte schauen", erklärte er großspurig. Trotz dieses wertvollen Hinweises konnte sie seinen Namen nicht finden. Der mit dem langen Namen zeigte mit dem Finger in eine grobe Richtung, und tatsächlich, da streckte sich ein Name weit über die Spalte hinaus: In ihm steckte ein Land, Bindestrich, eine Stadt, Bindestrich, ein Fluss, wieder ein Bindestrich und dann noch zwei weitere Familiennamen hintendran, ebenfalls mit Bindestrich. Das Volk wusste dazu nichts zu sagen, doch er nahm das Schweigen huldvoll entgegen.

Wer sollte sich eigentlich all diese Namen merken? Ich sicher nicht. Bisher hatte ich mir nur einen Namen gemerkt: Charles-Édouard. Natürlich war dieser Name von Helene groß angekündigt worden. Doch ich hätte ihn mir auch so gemerkt, und das nicht, weil auch er einen Bindestrich in der Mitte führte. Es war sein Antlitz, das mich fesselte, als öffne sich mit ihm eine neue Welt. Ich war nicht der Einzige, der sich nach ihm umschaute. Es war mir nicht entgangen, dass viele sich nach Charles-Édouard umdrehten, selbst wenn sie danach wieder zügig ihre Gespräche aufnahmen, als wäre nichts gewesen; im Stillen beschließend, zu Hause von diesem grünchangierenden Frack zu berichten.

Ich dachte an meine kurze Begegnung mit Charles-Édouard. Er hatte mich mit lässigem Handschlag begrüßt und mir ins Ohr geflüstert, dass er mir etwas mitgebracht habe. Was denn, hatte ich gefragt. Alabaster, hatte er gesagt und schallend gelacht: braunen Alabaster! Sein Lachen war ansteckend gewesen. Ich hatte zu meiner eigenen Überraschung mit eingestimmt. Auch wenn ich nicht wusste, worüber wir lachten. Doch dann war Charles-Édouards Arm wieder von meiner Schulter gerutscht. Sein Glas hatte in Helenes Richtung gezeigt. Die Wärme seines Glanzes sollte mich wieder verlassen. Unruhig hatte ich nach einer Bemerkung gesucht, die Charles-Édouard zum Bleiben hätte bewegen können. Natürlich war mir nichts Passendes eingefallen. Was hatte ich schon zu berichten, das einen Charles-Édouard interessieren könnte? Zum Schluss war ich stumm zurückgeblieben, wenngleich beseelt von dieser kurzen Begegnung, die mich für einen Moment meiner Beklemmung hatte entreißen können.

Ich suchte nach seiner grünen Jacke, doch ich konnte sie nirgends zwischen den bunten Kleidern und schwarzen Fracks entdeckten. Dafür stellte Axel sich jetzt neben mich. Ob der wusste, wo Charles-Édouard sich aufhielt?

„Wer bitte?"

„Charles-Édouard."

„Kenn ich nicht. Aber was ist das schon wieder für ein Name!", stöhnte er.

„Charles-Édouard ist der mit der grünen Jacke", sagte ich.

„Ach der!"

Axel machte eine abwertende Handbewegung.

„Den habe ich nicht gesehen."

Axel wippte auf seinen Sohlen auf und ab.

„Aber der soll mal nicht auf die Idee kommen, hier den Frauen nachzustellen. Bei solchen Fatzken muss man aufpassen. Denen ist nicht zu trauen. Ich werde ihn im Auge behalten und du solltest dasselbe tun."

Ich nickte, schon geschehen.

13

Ihre Hand in seiner Hand lief Helene mit Charles-Édouard über das Rondell. Da tauchten auf der anderen Seite des Schlosses zwei Autos unter der dicken Eiche auf. Um sie herum standen acht Männer. Sie trugen rotweiß gestreifte Anzüge und Strohhüte. Einer spielte leise auf seiner Mundharmonika. Der nächste kramte im Kofferraum nach Instrumentenkästen und stellte sie nebeneinander auf. Die übrigen rauchten oder schossen sich einen Kieselstein zu.

„*Voilà* – das ist meine Überraschung!"

Helene war restlos begeistert, warf sich ihm in die Arme und ließ sich einmal im Kreis drehen. Sofort schnappte sich ein Musiker seine Geige und stimmte einen Charleston an. Die anderen schnipsten dazu oder trommelten mit ihren Fingerkuppen auf das Autoblech. *Get on the floor* rief einer auf Amerikanisch und wirbelte seine Füße durch den Sand, dass es staubte. Helene machte sofort mit und schaukelte ihre Arme vor den Knien, die auf- und wieder zusammenklappten. Diesen Tanz hatte Theresa ihr beigebracht und wie bei allem, was mit Musik zu tun hatte, hatte Helene ihn auf Anhieb gut gekonnt. Die Musiker applaudierten und Charles-Édouard nahm Helene lachend in den Arm und drückte ihr einen Kuss aufs Haar.

Als man sich wieder beruhigt hatte, fragte er, wo man die Gruppe bis zu ihrem Auftritt unterbringen könne, es müsse ja nicht jeder mitkriegen, was hier los sei. Helene musste an Luise denken und fragte sich, ob man sie einweihen sollte. Allerdings bestand die Gefahr, dass Luise sich dann schrecklich aufspielen und dem Ganzen ein Ende setzen würde. Aber gut, dachte Helene, wenn Luise Theater macht, könnte sie sich Vater zur Verstärkung holen. Der würde das alles bestimmt fabelhaft finden. Wie konnte man es auch nicht fabelhaft finden? Es war fabelhaft!

Helene führte die Gruppe zu einem Nebeneingang, wo die Räume des Gesindes lagen. Die hinteren wurden so gut wie nie genutzt. Außer einem Tisch und ein paar Stühlen stand hier noch, wie ein Relikt vergangener Zeiten, ein alter Pferdeschlitten, der schon lange nicht mehr fahrtüchtig war. Von hier war es nicht weit zur Küche, dachte Helene, und Gusta konnte die Musiker gut versorgen lassen. Ihr sollte man an einem so geschäftigen Abend nicht noch weite Wege abverlangen.

Als Helene alle gut untergebracht hatte und sich gerade mit Charles-Édouard verabschieden wollte, trat eine sonderbar gekleidete Gestalt in den Gang. Sie trug einen goldenen Mantel, der fast bis auf den Boden reichte. Die Kapuze fiel weit über das Gesicht.

„Die hätten wir ja fast vergessen!", rief ein Musiker.

Die Gestalt hob den Kopf und die weiten Ränder der Kapuze gaben den Blick frei auf ein dunkles Näschen, schwarz getuschte Wimpern und dunkle Augen. In den Mantelschlitzen steckten braune Unterarme. Um die Handgelenke reihten sich dünne Armreifen. An den Fingern blinkten bunte Ringe, auf den Nägeln goldener Lack. Derselbe Lack auch auf den Zehennägeln, die unter engen, goldenen Striemchen hervorstießen.

„Kann ich die Kapuze jetzt abnehmen?", fragte die Gestalt. Als Charles-Édouard nickte, schob sie die Kapuze zurück und zeigte ihren ganzen Kopf, an dem das schwarze Haar mit viel Frisiercrème so zurechtgemacht war, dass es aussah wie ein Topf.

„Wo ist meine Garderobe?", fragte sie wieder nur Charles-Édouard, als würde sonst keiner um sie herumstehen. Er zeigte durch die Tür in den Raum mit dem Pferdeschlitten.

„Das geht nicht. Ich brauche eine eigene Garderobe und einen Spiegel."

„Du bist doch sonst nicht so zimperlich!", blökte ein Musiker. „Wir haben dich doch alle schon nackig gesehen."

Die junge Frau, kaum älter als Helene, verzog keine Miene.

„Es wird hier doch wohl genug Zimmer geben, dass ich mich alleine umziehen kann", sagte sie leise.

Helene nahm ihre Hand.

„Natürlich haben wir noch ein Zimmer. Ein besonders schönes sogar. Komm mit mir! Sollen die hier ihren Radau veranstalten. Du kannst dich bei mir umziehen, und einen Spiegel habe ich auch."

Helene zog sie aus der Runde, die folgte ihr dankbar und stellte sich neben sie. Helene hielt ihre Hand fest und wandte sich an die Truppe.

„Ich sage Gusta Bescheid, dass Sie hier untergebracht sind. Gusta wird Sie bestens versorgen. Vor allem, wenn Sie ihr ein Ständchen bringen. Das wird sie lieben. Und wir gehen jetzt zusammen nach oben, damit ich dir alles zeigen kann."

Damit nahm Helene einen Henkel der Kostümtasche und die junge Frau den anderen.

Helene war aufgeregt, denn sie glaubte, eine berühmte Künstlerin neben sich zu haben. Immer wieder sah sie staunend zu dem Wesen hinüber, das sich bei jedem Schritt bewegte, als wäre es auf einer Bühne. Auf dem Weg nach oben löcherte Helene die Künstlerin mit Fragen: wollte wissen, wie sie hieß, woher sie kam und ob sie und Charles-Édouard sich schon lange kannten.

„Mein Name ist Jule", sagte die Künstlerin. „Ich bin in Barmstedt bei Hamburg aufgewachsen. Meine Mutter lebt noch dort. Aber ich habe jetzt ein Zimmer auf der Reeperbahn gemietet. Das liegt gut zu Fuß."

„Und dein Vater?", fragte Helene.

„Auf See", sagte Jule schnell und, „noch nie gesehen."

Daraufhin verstummte Helene. Im oberen Flur angekommen, konnte sie durch die Fenster sehen, wie die Gäste im Innenhof zusammenrückten, um die Begrüßungsrede ihres Vaters besser verstehen zu können. Jule zog ihre Kapuze über und huschte durch den Flur, wobei sie sich jedes Mal duckte, wenn sie an einem der Fenster vorbeikam. Kichernd kamen die beiden in Helenes Zimmer an, worin es aussah, als hätte der Blitz eingeschlagen. Die Bettdecke lag verknautscht am oberen Ende des Bettes. Ein Kissen lag auf dem Boden. Koffer und Taschen gähnten weit offenstehend. Aus ihnen heraus quollen Kleider, Strümpfe, Tücher. Auf der Fensterbank lag ein Teller mit abgelutschten Kirschkernen und noch einer auf der Schminkkommode, drumherum verknotete Ketten und Ohrringe.

„Entschuldige die Unordnung", bat Helene und raffte ein paar Kleider auf, die sich auf dem Stuhl stapelten, ohne zu wissen, wohin sie sie als Nächstes legen sollte.

„Wieso?", fragte Jule. „Genau so sieht eine Künstlergarderobe immer aus."

Eine größere Freude hätte sie Helene nicht machen können. Am liebsten hätte sie sich jetzt auf die Fensterbank gesetzt und Jule Geschichten aus einer Künstlergarderobe erzählen lassen. Aber es blieb wenig Zeit. Sie musste schnell wieder runter zu den Gästen.

Als Helene die Treppe hinabstieg, ging ihr Jules Bemerkung nicht mehr aus dem Kopf – *auf See*. Das klang sehr weit weg. Sie kannte das Schicksal, ohne Vater aufzuwachsen, von ihren Kusinen, deren Vater nicht aus dem Krieg zurückgekehrt war. Aber das war doch nicht dasselbe wie *auf See*. Was bedeutete *auf See*? So wie Jule es gesagt hatte, klang es, als würde sie wissen, dass er niemals wiederkommen würde. Vielleicht war sein Schiff in einem Orkan gekentert und verschollen? Aber dann müsste die Familie doch benachrichtigt worden sein! Vielleicht war er ein blinder Passagier gewesen? Ihm könnte das Geld ausgegangen sein, um die weite Reise nach Hause zu bezahlen. Oder besser, man hatte ihn überfallen und bis auf den letzten Groschen ausgeraubt. Als die Behörden dann die Liste der Passagiere studierten, stand sein Name natürlich nicht darauf, weshalb man seine Angehörigen nicht informieren konnte. Das wäre noch die beste Erklärung, dachte Helene. Sie hatte nun die unterste Treppenstufe erreicht und betrat den Gang des Kreuzgewölbes, als sie auf einen Schlag alle Gedanken an Jule und ihren Vater vergaß.

Charles-Édouard hatte auf sie gewartet. Er lehnte an der Wand des Gewölbes und sah sie mit großem Ernst an, als sie auf ihn zuging. Sie sagte etwas Freches. Er lachte. Blut floss ihr in die Füße. Er zog ihre Hand an seine Lippen, schaute ihr fest in die Augen. In Helene spielte ein Orchester. Dann ging alles rasend schnell, zu schnell, um Atem zu holen. Wahrscheinlich war auch, dass sie die ganze Zeit über die Luft anhielt: ein Blick, zwei Worte am Ohr, drei Berührungen und tausend Schmetterlinge im Kopf, die mit flirrenden Flügeln jeden ernsten Gedanken verjagten, sollte er es wagen. Schließlich, mit einem Lachen, mit frechem Necken, mit Augen in Wonne getränkt, hielt er ihre Zukunft in seiner Hand, hielt gemeinsame Kinder und Enkelkinder in seiner Hand…, konnte es wirklich sein, dass nun zusammenkam, was zueinander gehörte? Ja, das konnte sein, hier und jetzt, für immer!

Im Innenhof liefen die Gäste paarweise in den Saal. Manche Mädchen hatten sich bei ihren Tischherren untergehakt. Andere waren eher auf Abstand bedacht. Bei der Tür ließen die Wohlerzogensten ihren Damen den Vortritt. Einer verbeugte sich sogar dabei. Andere hielten es nicht so förmlich, blieben lieber Arm in Arm, wann hatte man dafür sonst schon die Gelegenheit. Charles-Édouard schwang Helene einmal um die Achse, als würden sie schon tanzen.

„Dann wollen wir mal!", sagte er, legte seine Hand auf ihre Hüfte und steuerte Helene in Richtung Festsaal.

„Weißt du, wo ich sitze?", fragte er.

Helene strahlte.

„Dreimal darfst du raten."

Er verstand sofort.

„Umso besser", sagte er und betrat mit der Tochter des Hauses, Arm in Arm, den Festsaal.

14

Das Kerzenlicht tauchte den Ballsaal in einen schmeichelnden Schein, der gefleckte Wangen rosig und hektische Augen ruhig werden ließ. Die Tische waren mit üppigen Blumenbouquets und Schleierkraut geschmückt. Um die Kerzenständer rankte Efeu, gespickt mit weißen Pfingstrosen. Vor jedem Teller stand eine Menükarte, auf der ein Bild von Plasbalg gedruckt war, darunter dann, mit Füllfeder geschrieben, ein Name samt all seiner Titel.

Noch hatte sich keiner gesetzt. Manche suchten noch ihre Plätze. Andere waren von ihrem Tisch wieder weggelaufen, um nicht vor leeren Stühlen warten zu müssen. Ich stand alleine vor meinem Platz, die Hände auf der Stuhllehne abgelegt. Außer mir hatte sich bisher nur ein Junge in einem viel zu großen Frack eingefunden, der es anscheinend auch versäumt hatte, seine Tischdame im Innenhof abzuholen und in den Saal zu führen.

Als Nächstes trat ein junger Mann an unseren Tisch, der ein hübsches Mädchen im Arm hielt. Er stellte sich dem schülerhaft schüchternen Jungen vor, während das Mädchen mir die Hand reichte und meinen Namen wissen wollte. Es war eines der Mädchen, die ich zuvor schon an der Gästeliste beobachtet und anfangs mit den Eltern begrüßt hatte. Doch sie schien sich nicht an mich zu erinnern. Erst als ich meinen Namen sagte, horchte sie schlagartig auf, oh, der Sohn des Hauses, angenehm.

Die Lücke zu meiner Rechten hatte sich inzwischen auch geschlossen: ein aschblondes, unauffälliges Mädchen. Wie lange es schon dort gestanden hatte, wusste ich nicht. Zum Glück plauderte meine Tischdame bereits zur anderen Seite. Vater klopfte mit einer Gabel ans Glas, bat um Ruhe und sprach ein Tischgebet. Anschließend zogen die Herren den Stuhl ihrer Tischdamen zurück, damit sie sich setzen konnten. Ich wollte es wenigstens diesmal richtig machen und auch den Stuhl zurückziehen, doch die Aschblonde saß bereits. Irgendwann drehte sich ihr Redeschwall in meine Richtung: Ob ich das nicht auch fände?

Was denn, dachte ich. Doch sie redete gleich weiter.

„Hier sind ja gar keine Erwachsenen! So was hab ich ja noch nie erlebt."

Ja, dachte ich, dem war wohl so.

Sie lugte auf meine Menükarte, las meinen Namen und war von nun an nur noch mir zugewandt und höchst erfreut, neben dem Sohn des Hauses zu sitzen, was für eine Ehre. Sie schien alles über Plasbalg zu wissen und war tatsächlich in der Lage, unsere Verwandtschaft auf eine gemeinsame Großtante herunterzubrechen, wobei sie gackerte, dass einer Verbindung jedoch keine Bluts-verwandtschaft im Weg stand.

Wie eine Henne vorm Eierlegen, dachte ich und faltete müde meine Serviette auseinander. Ich war froh, als der erste Gang serviert wurde, und zog jeden Bissen in die Länge, damit der volle Mund mich davor bewahrte, ihren Monolog noch weiter zu befeuern. Sie redete ununterbrochen von Hühnern und Dienstboten, und knüpfte dabei eine Langweiligkeit an die nächste, als würde sich die geschilderte Angelegenheit erst dann erschließen, wenn sie ebenfalls skizzierte, was anschließend geschehen war; dabei war ich mir sicher, nach all dem nicht eine einzige Frage gestellt zu haben.

15

Im Gegensatz zu mir beherrschte Luise es tadellos, nicht nur ihr eigenes, sondern alle Gespräche an ihrem Tisch so in Gang zu bringen, dass keiner außen vor blieb. Bald plauderte jeder angeregt und sie konnte ihre volle Aufmerksamkeit Jochen widmen, der natürlich ihr Tischherr war.

Jochen erzählte Luise von seinem Plan, in den Hauptteil des Herrenhauses zu ziehen. Bisher wohnte er im Nebentrakt. Nun aber war es an der Zeit, dass seine Eltern ins Vorwerk umsiedelten. So war es immer schon gewesen. Doch Jochens Vater weigerte sich.

„Er kommt nicht damit zurecht, dass seine Zeit abgelaufen ist und ich jetzt die Geschäfte führe. Und dazu gehört nun mal, dass ich in den zentralen Räumen lebe."

Luise konnte ihm da nur zustimmen:

„Es macht keinen guten Eindruck, wenn einer den Gutsherrn aufsuchen will und dann an einen Nebeneingang verwiesen wird."

„Wenn es doch nur das wäre."

Jochen sprach leise und blickte traurig in die Blumen.

„Man könnte sich doch einig werden. Die einen wohnen oben, die anderen unten. So klein ist das Herrenhaus nun auch nicht."

Luise schüttelte den Kopf.

„Das Schlimme ist, er mischt sich überall ein, weiß alles besser und ist tödlich beleidigt, wenn eine Entscheidung ohne ihn getroffen wird."

Luise erinnerte sich an Besuche, als sie noch Kinder waren, und sie damals große Angst bekommen hatte, weil Jochens Vater bei Tisch jähzornig wurde, erst die Kinder anschrie und danach Jochens Mutter, als die ihn bremsen wollte.

„Wie geht denn deine Mutter damit um?"

„Sie hält es irgendwie aus. Sie tut alles für ihn. Ihr Leben richtet sich nach seiner Tagesform. Manchmal freut er sich, wenn sie ihm eine Tasse Tee und Kuchen bringt. Ein anderes Mal schimpft er, dass sie ihn nicht behandeln soll wie einen Greis."

„Bei so einem Vater brauchst du eine Frau mit Charakter!"

„Das will ich meinen."

Jochens Blick ruhte auf Luise.

„Und wie geht es mit deinem Bruder voran?"

Welchen sie meinte, wollte Jochen wissen. Er hatte zwei Brüder, beide jünger, außerdem noch drei Schwestern. Luise meinte Axel.

„Mittlerweile wieder besser. Wir hatten vor zwei Wochen eine Aussprache."

„Das ist gut", sagte Luise. „Weichende Erben haben es schließlich auch nicht leicht."

Auf ihren regelmäßigen Spaziergängen hatte Luise schon oft bei Jochen auf Verständnis für Axel plädiert. Sie konnte gut verstehen, wenn einer schlecht damit zurechtkam, nicht an erster Stelle der Erbfolge zu stehen. Genau genommen waren nämlich beide, Jochen und Axel, jeweils erste Söhne. Die Familienverhältnisse waren etwas komplizierter. Jochen war das einzige Kind aus der ersten Ehe seines Vaters. Als Jochens Mutter bei seiner Geburt starb, hatte sein Vater kurzerhand die jüngere Schwester seiner verstorbenen Frau geheiratet, die ihm fünf weitere Kinder gebar. Demnach war Axel ebenso ein erster Sohn, wenn auch aus der zweiten Linie, und vor allem fühlte er sich so. Axel hatte lange mit seinem Stand gehadert, hatte böse Intrigen gesponnen, allerdings erfolglos. Jochen war nun einmal der Erste und hatte sich durch seine sorgfältige Vorbereitung auf die Übernahme des Gutes unangreifbar gemacht.

„Ich weiß ja, dass es nicht leicht ist", stimmte Jochen zu. „Aber es ist wichtig, dass wenigstens intern Ruhe einkehrt. Die Zeitungsspalte mit den Zwangsversteigerungen ist lang genug."

Jochen rammte seine Gabel ins weiche Fleisch des Krebsschwanzes.

„Die freien Viehbauern jagen die Pfänder mit Sensen und Mistgabeln vom Hof."

Nun erstach er fünf Preiselbeeren mit seinen Gabelspitzen.

„Das Gefrierfleisch aus Polen macht sie kaputt. Sie haben ja keinen Herrn mehr, der sie beschützt."

Alle Rapunzelblätter hatte er nun dem großen Happen Krebsfleisch aufgezwungen und zog mit der Gabel einen Bogen durch den Saal.

„Was wir zurzeit erleben, ist ein Tanz auf dem Vulkan. Die Geheimräte brauchen nicht glauben, dass sie uns mit ihren gefälschten Berichten täuschen können. Von wegen ansteigende Konjunktur! Tatsache ist, wir stecken weiter tief in einer Bankenkrise."

„Das sehe ich genauso", sagte Luise und legte ihre schmale Vorspeisengabel rücklings auf dem letzten Krebsschwanz ab. „Hast du auch die Nachricht gelesen, dass sich ein Bankprokurist in Berlin aus dem Fenster gestürzt hat? Er war bei der Liquidationskasse, hat Termingeschäfte abgewickelt – da ist ihm wohl schwindelig geworden."

Diese Meldung hatte Jochen übersehen, aber es stimmte dennoch: Es wäre höchste Zeit, dass die Dinge sich änderten. Darüber konnte Jochen sich sogar mit Axel einig werden, ihr erster Konsens seit Jahren. Jochen schlug sich auf die Brust. Es läge an ihnen, das Schicksal des Reichs in die Hand zu nehmen! Daher kam auch sein Engagement bei der Herrengesellschaft.

Er erklärte Luise, wie er bei der Rekrutierung vorging: Er teilte die Jungen in drei Kategorien. Da gab es die Vorzüglichen, die intuitiv den Ernst der führungsschwachen Lage verstanden. Solche brauchte man kaum zu suchen, sie kamen von alleine. Zur zweiten Kategorie gehörten solche, auf die man gleich verzichten konnte: Das waren die Modefatzken im materialistischen Fahrwasser, die sich für ihr Vergnügen interessierten und sonst gar nichts. Als Drittes, und das waren die Wichtigsten, hielt Jochen nach denen Ausschau, die noch unentschieden waren.

„Deswegen will ich später noch mit deinem Bruder reden. Der ist einer von den Guten."

Luise runzelte die Stirn.

„Frauen sind in eurer Gesellschaft wohl nicht erlaubt, oder?"

Jochen sagte nichts, was alles sagte.

„Erkennst du denn unter Frauen keine vorzügliche?"

„Doch, aber anders."

Er versuchte Luise tief in die Augen zu schauen. Aber Luise guckte nicht.

„Wie anders?"

„Frauen müssen den anderen Teil der großen Aufgabe übernehmen: den mütterlichen Teil. Es bringt nichts, wenn Frauen nun das machen wollen, was Männer tun sollen. Jeder hat seine Rolle und jeder seinen Stand. Nur so kann diese Gesellschaft funktionieren."

Luise trank ihr Weinglas, wenig damenhaft, in einem Zug aus und verhandelte weiter.

„Wenn aber einer, gleich welchen Geschlechts, etwas besser kann, dann soll er die Aufgabe auch ausführen dürfen."

„Luise", kam es forsch von Jochen zurück, „du darfst nicht so klein–klein denken und bloß vom Einzelnen ausgehen. Das bringt alles durcheinander. Wir brauchen eine feste Ordnung, damit unser Reich wieder stark wird."

Blödsinn, dachte Luise, sagte es aber nicht, sie war ja kein „rote Fluse", wie ihre Mutter das gern nannte.

„Bei aller Liebe für deinen Ordnungssinn", flötete sie stattdessen, „du darfst eins nicht übersehen: Chaos entsteht, wenn einer nicht weiß, was als Erstes zu tun ist. Eine gute Führung muss vorausschauend denken, man darf nicht kopflos durcheinander kommandieren."

Während sie sprach, verwandelte sich Jochens strenger Ausdruck in den eines Welpen.

„Ich habe genug Inspektoren kommen und gehen sehen", fuhr Luise fort. „Sie machen alle den gleichen Fehler. Wollen sich mit guten Zahlen schmücken und übersehen die anstehenden Investitionen. Soll ich dir mal verraten, was wir in diesem Jahr an Reparaturkosten hatten? Ich bin nur froh, dass der neue Verwalter hier ist. Er ist wirklich tüchtig."

Das dachte Jochen über Luise auch. Tüchtig war sie. Tüchtig, klug und schön.

„Kurzum, es ist für mich unerträglich, dabei zuzusehen, wenn andere Fehler machen."

Jochen nahm Luises Hand.

„Aber Luise! Die Frau des Hauses zu sein bedeutet doch nicht, dass man deswegen keine wichtigen Aufgaben übernehmen darf. Ganz im Gegenteil."

Noch einmal versuchte er, Luises Blick einzufangen, und diesmal gelang es ihm. Endlich lächelte sie lieb und erwiderte seinen leichten Händedruck mit einem Streicheln über seinen Daumen.

16

Von den drei Plasbalg'schen Kindern saß Helene am mit Abstand lustigsten Tisch. Um jedes gepflegte Gespräch zu unterbinden und direkt zum amüsanten Teil überzugehen, hatte Charles-Édouard für alle Korn bestellt. Der Diener hatte zwar befürchtet, dass dies nicht erlaubt sein könnte und gezögert, hatte sich dann aber von Helenes hauseigener Autorität überzeugen lassen, wobei sie sich darauf einigten, den Schnaps in Wassergläsern zu servieren, damit ihre Verschwörung nicht auffiel.

„Alles auf meine Verantwortung", hatte Helene versprochen. Was Verantwortung war, wusste sie allerdings bald selbst nicht mehr. Es brauchte nicht lange, da gingen ihre Augen schwimmen. Plötzlich rief Charles-Édouard ein Spiel aus: Stille Post und wer das Wort falsch sagte, musste trinken. Alle waren einverstanden. Er legte seine Hände um Helenes Ohr und flüsterte zwei Wörter. Helene wurde rot.

„Das kann ich nicht weitersagen!", rief sie empört.

„Wieso denn?", fragte Charles-Édouard scheinheilig, aber wenn sie nicht wolle, dann müsse sie trinken. Alle stimmten zu. Das waren die Regeln.

„Anstand muss sein", murmelte Helene und trank.

Charles-Édouard drehte sich zu seiner anderen Sitznachbarin und flüsterte ihr etwas ins Ohr. Die kicherte und flüsterte es an ihren Nachbarn weiter. Auch die anderen Mädchen stellten sich nicht so an wie Helene, sondern schauten triumphierend zu ihr herüber, als sie das Wort weitergesagt hatten. Helene kam sich albern vor. Da kam das Wort wieder bei ihr an und ihr Nachbar flüsterte „Strumpfband" in Helenes Ohr.

Strumpfband? Frechheit!

„Du hast das Wort getauscht", beschwerte sich Helene.

„Ach was", rief Theresa, „das sagst du doch jetzt nur so."

„Gar nicht wahr."

Was es denn gewesen wäre, wollte die Runde wissen, und als Helene es nicht sagen wollte, riet Charles-Édouard ihr, kein Spielverderber zu sein. Laut sagen! Laut sagen! Helene holte tief Luft und stieß „Schwarze Muschi" zwischen den Zähnen hervor. Nun war die Runde still, nur Charles-Édouard schien sich köstlich zu amüsieren.

„Das ist doch nichts Schlimmes, sondern nur die Katze meiner Großmutter!"

Er streichelte Helene über die Wange, die nun so kläglich aussah wie eine Katze, der man einen Eimer Wasser übergegossen hatte.

„Neues Spiel!", rief Charles-Édouard in die Runde. „Denkt ihr euch auch mal eins aus."

Dabei legte er seinen Arm um Helene und prostete ihr zu. Helene griff nach dem richtigen Wasserglas. Doch er nahm es ihr aus der Hand.

„Wir wollen uns doch amüsieren."

Also ließ sie sich das Falsche in die Hand drücken und trank einen großen Schluck von dem warmgestandenen Korn. Unter ihrer Zunge lief heiße Spucke zusammen. Ein Guss aus Schnaps und Galle schoss ihr in den Mund. Sie schluckte dagegen an. Die Flammen flackerten grell vor ihren Augen. Sie griff nach ihrer Gabel, aß einen

Happen. Sofort rumorte ihr Magen und zog sich schmerzhaft zusammen. In was für ein Elend hatte sie sich manövriert! Sie musste hier weg, musste einen sicheren Ort erreichen, bevor Schlimmeres geschehen konnte. Helene verlagerte ihr Gewicht auf die Füße und hievte sich an der Tischkante hoch. Sobald sie stand, sprang ihr Nachbar zur Rechten ebenfalls auf, so wie es sich gehörte. Helene lächelte gequält.

„Danke, ich komme gleich wieder. Ich will mich etwas frischmachen", erklärte sie und hörte selbst, dass ihr frisch eher wie Fisch klang. Sie wollte loslaufen, doch nun folgte ihr der Stuhl, weil er sich in ihrer Schleife verfangen hatte. "Lächeln, einfach nur lächeln", dachte sie und befreite sich mit Hilfe des höflich aufgesprungen Jungen. "Nichts anmerken lassen." Sie lief los. "Vielleicht ein bisschen im Täschchen nesteln."

Auf dem Weg durch den Saal hatte sie einige Schwierigkeiten, ihren Kurs zu halten, und dann hielt sie auch noch jemand am Unterarm fest. Sie sah sich um, ausgerechnet Luise. Doch Helene konnte und wollte jetzt nicht mit Luise reden, sie sollte sie loslassen. So leicht ließ Luise sich aber nicht abschütteln, sondern sah die Schwester streng an und wollte gerade etwas sagen, als Helene ihre Hand mit Gewalt abstreifte und weiterlief.

Im Innenhof traf die frische Luft sie wie ein Schlag auf den Kopf. Die abendlichen Sonnenstrahlen blitzten in den oberen Fensterscheiben und blendeten sie. Helene hielt sich schützend die Hand vor die Augen. Ihre Absätze kratzten über die großen Pflastersteine und klappten bei jedem Schritt gefährlich zur Seite. Erst als sie das kühle Kreuzgewölbe erreicht hatte, fühlte sie sich langsam besser. Sie lehnte ihren

Kopf an die Steinwand. Ein Mädchen kam um die Ecke und fragte besorgt, ob es ihr gut gehe.

„Bestens", meinte Helene so beiläufig, wie es ihr möglich war, und kramte in ihrer Handtasche. „Ich glaube, ich habe mein Puder oben vergessen."

Wie durch Watte lief sie weiter. Auf der Wendeltreppe nach oben stieß sie sich die Schultern, stolperte dann auf den Flur und war unendlich froh, als sie endlich ihr Zimmer erreicht hatte. Dann fiel sie mit der Tür ins Zimmer und stockte. Nicht nur, dass sie Jule total vergessen hatte. Jule trug ein Kleid von Theresa und wollte sich gerade vor dem Spiegel einen von Helenes Ohrringen anklippen. Erschrocken fuhr Jule auf und sah Helene entsetzt an.

„Es tut mir so leid!", rief sie. „Ich wollte das gar nicht."

Sie riss sich mit zitternden Händen die Träger von den Schultern. Das Kleid glitt an ihrem schmalen Körper hinab und landete auf dem Boden, wo es in einem schillernden Ring rund um ihre Füße liegen blieb. Schnell hob Jule es auf und faltete es sorgfältig zusammen. Helene brachte es nicht fertig, mit Jule zu schimpfen. Ihr war es schließlich ähnlich ergangen.

„Mach dir keine Sorgen", sagte Helene und nahm ihr das Kleid ab. „Ist nur deswegen blöd, weil es Theresas Kleid ist. Meine Kleider kannst du gerne anprobieren. Sie sind aber nicht besonders schön."

Jule schüttelte den Kopf.

„Nie wieder mache ich so was. Es ist einfach so über mich gekommen, weil hier alles so prachtvoll und groß ist. Meine Wohnung würde zweimal in dieses Zimmer passen."

„Aber dafür lebst du mitten in der Stadt, kannst jeden Abend ausgehen, und niemand sagt dir, was du zu tun oder zu lassen hast. Das ist auch nicht zu unterschätzen", tröstete sie Helene, doch Jule schien davon nicht überzeugt zu sein.

Helene streifte sich die hohen Schuhe von den Füßen und lief mit deutlich festeren Schritten als bisher zum Waschbecken. Ihr Mund schmeckte wie eine heiße Wüste. Spucke kratzte ihr über der Zunge. Sie schöpfte Wasser aus dem Hahn, trank in großen Schlucken fünf, sechs Mal, bis ihr Bauch schon kalt wurde. Aus dem Spiegel blickten ihr zwei fremde Augen entgegen, umrahmt von verschmierter, schwarzer Tusche. Sie kniff sich in die Wangen. So konnte sie sich unmöglich blicken lassen. Jule hatte sich inzwischen ein Negligé umgebunden und beobachtete Helene neugierig.

„Hast zu viel getrunken, was?"

Helene nickte.

„Da gibt es nur eine Lösung."

Jule machte ihr eine Trockenübung vor. Helene ekelte sich.

„Hast doch ordentlich Wasser hinterhergekippt. Dann ist es gleich viel leichter. Willst doch jetzt noch nicht ins Bett, oder?"

Himmel nein, sie durfte dem Abend nicht fernbleiben, jeder würde sich wundern und überhaupt, was wurde dann aus ihr und Charles-Édouard? Die kostbaren Stunden wären dahin, ihre gemeinsame Zeit vergeudet, die Möglichkeit kehrte vielleicht niemals wieder. Helene musste wieder hinunter. Koste es, was es wolle.

„Also, wie mache ich das am besten?", fragte sie die Gleichaltrige mit ach so viel Erfahrung.

„Ganz einfach: Finger rein und alles raus."

Helene nickte. In leichter Panik schlich sie aus dem Zimmer und lugte aus dem Türrahmen, ob ihr einer gefolgt war. Doch der Flur lag still da. Durch die offenen Fenster schwebte nur eine Klangwolke aus Klaviertönen und Plauderei. Im Badezimmer angekommen, schloss Helene die Tür hinter sich ab und atmete tief durch. Sie ließ sich auf die Knie sinken und klappte den Deckel hoch. Eine Haarsträhne fiel auf den Rand der Schüssel. War das widerlich. Sie schaute sich nach einem Zopfband um. Als sie keins fand, band sie ihre Haare mit der Schleife des Vorhangs fest. Dann stieß sie sich den Zeigefinger auf den Gaumen, worauf nichts folgte außer leichtes Würgen und ein bisschen Spucke. Sie dachte an Charles-Édouard. Diesmal hielt sie den Finger länger im Rachen und bewegte ihn störrisch von oben nach unten. Da ergoss sich endlich im großen Schwall Erleichterung in die Schüssel. Helene stöhnte, als sie merkte, dass es damit noch nicht getan war. Denn ihr Inneres wollte nun sogar noch vehementer aus ihr heraus. Sie würgte, als ginge es um ihr Leben, bis sie sich zuletzt schwer keuchend auf die Seite fallen ließ. Das sollte Vergnügen sein?

Nach ein paar Minuten der Erholung raffte sie ihr Kleid zusammen, zog sich am Rand des Waschbeckens auf die Füße und lief zurück in ihr Zimmer. Sie fühlte sich zweifellos erleichtert, auch wenn ihr Magen noch immer grummelte. Jule empfing sie mit einem breiten Grinsen.

„Dann wollen wir doch mal zusehen, dass wir dich wieder auf die Beine kriegen!", rief sie und wies Helene an, sich vor die Schminkkommode zu setzen. Sie zauberte aus ihrer Tasche ein Fläschchen hervor, das beim Öffnen einen scharfen Duft verbreitete, und träufelte sich ein paar Tropfen in die Nase. Danach reichte sie Helene das Fläschchen, die nicht lange fragte, sondern es ihr nachtat. Als Nächstes zog Jule einen Koffer mit vielen Pinseln und Pudern hervor und machte sich daran, Helene einen kräftigen Lidstrich zu ziehen.

„Danke, dass du mir aus der Misere hilfst."

„Kindchen, Kindchen", sagte Jule im Tonfall einer Tänzerin älteren Semesters, „davon geht die Welt nicht unter. Bist schon nicht die Erste, die sich beim Schnaps übernommen hat."

Sie pinselte rote Farbe auf Helenes Lippen.

„Schau, jetzt siehst du sogar besser aus als vorher!"

Helene betrachtete sich im Spiegel. So viel Schminke hatte sie noch nie getragen. Mit geübten Fingern ordnete Jule Helenes Frisur und Helene sah ihr dabei zu. Da streckte Helene ihre Hand nach oben, strich kurz über Jules Wange, doch das war nicht ihr Ziel, denn sie ließ ihre Hand weiterwandern bis zum Ohrläppchen, wo Helene ihren zweiten Ohrring entdeckt hatte. Blitzschnell zog sie ihn ab. Jule erschrak, doch Helene grinste bloß und legte ihn in die Schmuckschatulle zurück.

„Wann wirst du auftreten?", fragte Helene, als sie sich wieder auf den Weg machen wollte.

„Später am Abend", sagte Jule. „Charles sagt, wir sind erst dran, wenn die feine Gesellschaft schon ordentlich in Gang gekommen ist."

„Charles nennst du ihn?", fragte Helene und sprach den Namen ebenfalls englisch aus.

„Charles ist sein Name für die Nacht", erklärte Jule. „Keiner soll wissen, wie er wirklich heißt. Kommt ja aus einer bekannten Familie, der gute Charles. Seinen Nachnamen darf man erst recht nicht sagen. Da ist er sehr streng, und wenn ihn doch einer damit anspricht, schaut er sich über die Schulter, ob es einer gehört haben könnte. Ich finde das ziemlich affig.“

Jule zuckte die Schultern.

„Was sind schon Namen?“

Helene lachte.

„Da kannst du dich mit meinem Bruder zusammentun. Der hat dafür auch keinen Sinn.“

Als Helene den Saal wieder betrat, war der Hauptgang bereits serviert. Sie lief rasch zu ihrem Platz und ließ sich von ihrem Sitznachbarn, der sofort wieder aufgesprungen war, den Stuhl unterschieben. Dann strich sie mondän ihr Haar über die Schulter und schaute zu Charles-Édouard.

„Warst lange weg“, sagte er kauend.

„Es dauert eben, so lange es braucht“, gab Helene zurück und schnitt sich ein kleines Stück vom Filet ab, das rosazart auf ihrem Teller dampfte. Da bemerkte sie, dass Theresa auf der anderes Seite des Tisches erst erstaunt mit dem Finger auf ihren Mund und danach auf Helene zeigte. Doch Helene wollte sich wegen ihrer Aufmachung nicht verunsichern lassen und schickte ihr mit ihren knallroten Lippen einen Luftkuss über den Tisch.

17

Nach dem Hauptgang klopfte Vater an sein Glas und hielt eine kurze Rede, in der er den Gästen für ihr Kommen dankte, seiner Frau für die vorzügliche Organisation und der Küche für die außerordentliche Leistung.

Luise schloss sich ihm an, indem sie ebenfalls an ihr Glas klopfte und uns die weitere Abendplanung mitteilte. Mokka und Nachtisch gäbe es am Buffet und danach folgte ein Fackelzug durch den Park. Wie aufs Stichwort wurden nun die Terrassentüren geöffnet und gaben den Blick frei auf den in rotes Abendlicht getauchten Schlosspark. Zwischen Karrees aus Buchsbaumhecken plätscherte ein Springbrunnen, auf dessen Rand hohe Statuen standen, dies allerdings nicht antik und hoheitsvoll mit Speer und Leinentuch; vielmehr waren es Elfen, die über den Brunnenrand zu tanzen schienen. Dahinter dann, flankiert von zwei Alleen, spiegelten Parkteiche das Licht der untergehenden Sonne wider. Im hinteren Drittel des Parks lag das Wäldchen aus dicken Eichen und Buchen, um das eine niedrige Feldsteinmauer verlief. Im Auge des Betrachters allerdings hörte der Park hier nicht auf, sondern mündete in die angrenzenden Wiesen wie ein Fluss ins Meer.

In ihrer Rede erklärte Luise weiter, dass neben dem Buffet Blumenarmbänder und Cotillonnadeln bereitlagen. Jeder sollte sich also schon mal überlegen, wen er zur Quadrille auffordern wollte. Ich rollte die Augen. Auf keinen Fall wollte ich Quadrille tanzen. Ich fand es albern, mich wie eine aufgezogene Puppe zu bewegen. Im Corps gab es immer die sogenannten *Teestunden mit Tanz*, von denen ich mich möglichst fernhielt. Ohne ein Wort zu sagen, stand ich von meinem Platz auf und lief davon. Auf der Terrasse sah ich Charles-Édouard und bewunderte, wie galant er seine Hand zwischen die Knopfleiste der Frackweste geschoben hatte. Also schob ich ebenfalls eine Hand in meine Weste. Charles-Édouard hatte einen Fuß lässig auf der Fußleiste abgestellt. Ich versuchte, genauso wie er, einen Fuß vor den anderen zu schieben, da wurden meine Studien unterbrochen, weil Jochen ein opulentes Mädchen in mein Sichtfeld schob. Er stellte sie mir als Sprössling des einen, nicht des anderen Herzogtums Mecklenburg vor: nicht Mecklenburg-Schwerin, sondern Mecklenburg-Strelitz, oder gerade nicht Mecklenburg-Strelitz, sondern Mecklenburg-Schwerin, – ich hörte ihn kaum.

Ob ich mich mit ihnen setzen wolle, fragte Jochen und hielt mir eine Tasse Mokka hin. Ich sagte nichts.

„Möchtest du einen Mokka?", wiederholte Jochen nun schon etwas ungeduldig.

„Jetzt nimm schon und komm mit! Ich muss etwas Wichtiges mit dir besprechen."

Ich nickte, nahm die Tasse und folgte ihm.

18

Nach dem Essen ließ Charles-Édouard sich entschuldigen, dies allerdings nicht, um einem dringenden, immer zu entschuldigenden Bedürfnis nachzugehen, sondern um in der Terrassentür stehen zu bleiben und mit zwei Mädchen zu scherzen, die dabei von einem Bein aufs andere hüpften wie aufgescheuchte Puten. Ob Helene das entschuldigen wollte? Da zog sich Theresa einen Stuhl zu ihr heran und wollte wissen, wie es mit Charles-Édouard lief.

„Bestens", behauptete Helene, „warum sollte es auch anders sein?"

Theresa flüsterte: „Charles-Édouard hat mir von der Überraschung erzählt. Hast du die Musiker schon zu Gesicht bekommen?"

Helene zeigte sich beleidigt. Sie hatte angenommen, dass er ausschließlich sie ins Vertrauen gezogen hatte.

„Doch, doch, ich weiß Bescheid", sagte Theresa. „Er hat es mir auf dem Empfang erzählt."

Auf dem Empfang schon? Dann hatte er es Theresa sogar vor ihr verraten. Dabei war es doch Helenes Überraschung und nicht Theresas.

„Na ja", sagte Helene schnippisch. „Ihr scheint euch ja auch sonst viel zu erzählen zu haben."

Entweder bemerkte Theresa den Argwohn nicht oder zog es vor, ihn zu überhören.

„Helene, er hat mir doch nur davon erzählt, um zu testen, wie es auf dich wirken wird."

Helene schaute die Freundin an, als hätte die sich in ein rosa Rhinozeros verwandelt.

„Glaub mir. Er hat sich bei mir vergewissern wollen, ob es dir gefallen wird."

Hatte er das?

„Er will dir doch eine Freude machen. Ich glaube, er mag dich sehr gerne."

Das war, was Helene hatte hören wollen, und das rosa Rhinozeros verwandelte sich zurück in ihre liebe Freundin.

„Weißt du, wir verstehen uns auch so gut", schwärmte Helene und berichtete, wie er ihre Hand genommen hatte und wie er sie, ihre Hand in seiner Hand, nach draußen gezogen, umarmt und in der Luft einmal im Kreis gewirbelt hatte. Theresa nickte aufgeregt.

„Und dann?"

Dann hatte er ihr einen Kuss aufs Haar gedrückt.

„Wie lieb er mit dir ist", sagte Theresa bewundernd.

Helene nickte, strich sich über den Hals und überlegte, ob sie von der Szene im Gewölbe erzählen oder sie lieber nur für sich bewahren wollte wie einen Schatz, – schon war es raus, wie sie so nah voreinander gestanden hatten, dass die Nasen sich berührten.

Ob sie sich geküsst hatten, wollte Theresa wissen.

Helene schwieg mit einem Augenaufschlag, der das bestätigen wollte.

„Besser kann es doch nicht sein", sagte Theresa. „Er schaut auch die ganze Zeit zu dir rüber."

Helene hatte ihm den Rücken zugedreht, seitdem sie mit Theresa sprach.

„Wirklich?", fragte Helene.

„Wirklich", sagte Theresa, „aber nicht umdrehen."

Ach, dachte Helene, und sie hatten noch die ganze Nacht füreinander, konnten tanzen und tausendmal die Nasen aneinanderhalten, bis die Lippen sich berührten. Warum also schmollte sie hier albern vor sich hin, weil er ihr von der Seite gewichen war? Sie war doch kein Kind mehr, das man an die Hand nehmen musste. Sie war jetzt eine Frau! Das würde sie ihm zeigen. Eine Frau, die sich nahm, was sie wollte! Eine Frau, wie man sie sich nur wünschen konnte! Helene würde seine Aufmerksamkeit noch gewinnen, und dann würden diese Puten am Rand stehen und blöd gaffen.

„Wie sehe ich aus?", fragte Helene, nachdem sie sich blind den Lippenstift nachgezogen hatte.

„Fabelhaft", sagte Theresa.

Helene stand auf, rückte ihr Kleid zurecht und zwinkerte Theresa zu, die ihr ein „Immer ran an den Herrn" hinterherrief. Als sie auf die Gruppe zuging, streckte sie ihren Rücken und fuhr sich durchs Haar. Dann lehnte sie sich seitlich an Charles-Édouard, wobei sie ihren Oberarm auf seiner Schulter abstützte.

„Hast du eine Zigarette für mich, Charles?", fragte sie in der Nähe seines Ohrs und sprach seinen Namen englisch aus. Für die glotzenden Puten hatte sie nur ein glattes Lächeln übrig. Charles-Édouard zog ein silbernes Zigarettenetui hervor und wollte wissen, woher sie seinen Spitznamen wusste. Helenes Lippen umfassten das Ende der weißen Zigarettenspitze. Die Glut aalte sich in der Flamme.

„Woher wohl", sagte Helene und pustete den Rauch in einem dünnen Strahl nach oben.

„Hier kannst du mich ruhig Charles-Édouard nennen", sagte er. Helene nickte, lächelte lieb und wollte gerade weitersprechen, da musste sie mit ansehen, wie eines der Mädchen Charles-Édouard eine Cotillonnadel für die Quadrille ans Revers schob. Was diese Hühner hier versuchten, dachte sie hochnäsig. Zu ihrer Überraschung ließ er sich das Manöver aber großmütig gefallen. Dann jedoch verabschiedete er sich von den beiden Mädchen mit einem kurzen „bis später", wobei er selbst an seiner Position stehenblieb, sodass die beiden sich abwenden und den Platz räumen mussten.

Sehr gut, endlich unter uns, dachte Helene, doch schon kam die nächste Biene an ihrem Stand vorbei und beschwerte sich bei Charles-Édouard, dass er nicht auf ihre Einladung reagiert hätte. Er schaute sie an, als wäre ihm entfallen, wer sie war. Dann lachte er schrill und versprach sich zu bessern, was wenig nach echter Reue klang.

Wie gut, dachte Helene, dass sie mit keinem Wort seine späte Antwort auf ihre Einladung erwähnt hatte. In diese niedere Position wollte sie sich nicht begeben. Brauchte sie auch nicht. Zu ihr war er schließlich gekommen.

„Wie hast du eigentlich Jule kennengelernt?", fragte Helene, nachdem das Mädchen irritiert weggelaufen war.

„Wen bitte?", fragte Charles-Édouard.

„Jule, die Künstlerin."

„Künstlerin!" Er amüsierte sich. „Die Künstlerin kenne ich natürlich nur unter ihrem Künstlernamen Josy. Alle nennen sie Josy. Sie ist halt eine dieser Nachtgestalten, die überall gebucht werden. Ist die beste Doppelgängerin von Josephine Baker, die ich kenne."

„Wessen Doppelgängerin?"

„Du kennst doch Josephine Baker!"

Seine Nase kräuselte sich spöttisch.

„Du kennst Josephine Baker nicht? Die ganze Welt kennt Josephine Baker."

Helene schüttelte den Kopf.

„Mädchen, du musst mal in die Metropole kommen und etwas von der Welt kennenlernen!"

Was für eine wunderbare Vorstellung, dachte Helene.

„Ich bin schon so gespannt auf ihren Auftritt", sagte sie mit glänzenden Augen. „Hoffentlich spielt Luise mit. Sollen wir sie nicht lieber einweihen?"

Er schüttelte entschieden den Kopf.

„Auf gar keinen Fall", erklärte er. „Sonst habe ich die Autos und Musiker womöglich umsonst organisiert. Das Ganze kostet mich eine Stange Geld."

Helene nickte. Er hatte recht, es durfte nicht umsonst gewesen sein.

„Jetzt mach dir mal keine Sorgen. Das wird eine große Nummer und ordentlich Schwung in die Gesellschaft bringen. Wir wollen doch nicht den ganzen Abend Quadrille tanzen!"

Helene nickte.

„Diese Bauern hier müssen mal erleben, was in der Welt passiert", fand Charles-Édouard.

Helene nickte.

„Hast du dir mal die Frackschuhe genauer angeschaut? Manche sehen aus wie aus dem letzten Jahrhundert."

Helene nickte und sagte nicht, dass ein Kuchenkrümel auf seinem Lackschuh klebte.

„Und dann diese Kleider …"

Charles-Édouard zeigte mit seinem Cognacglas auf eine Gruppe junger Damen.

„Kannst du mir erklären, warum Landmädchen selbst auf hohen Schuhen laufen wie in Soldatenstiefeln?"

Er strich sich über seinen Schnäuzer.

„Immerhin, man kann sich alles schöntrinken."

Helene konnte nur weiter nicken zu dem, was er ihr da erzählte. Aber sie spürte, wie sie sich verspannte, während sie versuchte, ihre Gedanken zu ordnen. Was hatte er über die Kleider der Mädchen sagen wollen? Kam da etwa ein noch schärferes Urteil als über die Schuhe der Herren? Hielt er sie für eine Landpomeranze?

In der Fensterscheibe entdeckte sie ihr Spiegelbild, sah, dass ihre runden Schultern schlaff nach vorne hingen. Eine unsichtbare Hand kniff sie in die Wirbelsäule, aufrichten, gerade stehen, nicht so jämmerlich, Kinn hoch! Aber was sie auch anstellte, sie wurde nicht schöner. Neben ihr schob sich Theresas schwarzsilbernes Kleid in den Fensterspiegel, mit ihm fragile Schultern und ein zartes Schlüsselbein.

Helene nahm einen Schluck Cognac aus Charles-Édouards Glas, denn eins stand für sie fest: Schöntrinken musste sie sich niemand anderen. Schöntrinken musste sie sich selbst, sich und ihr Kleid, das tatsächlich aus dem vorherigen Jahrhundert stammte.

19

Vor mir steuerte Jochen eine freie Ecke an einem der Tische an, wohin er sich mit seiner Gesprächsdame und mir setzen wollte. In der einen Hand balancierte er zwei Mokkatassen, in der anderen ihren Dessertteller. Mit dieser Portion hatte sie sich viel vorgenommen: vier mit buntem Zuckerguss glasierte Würfel Schichttorte, zwei Stück Bienenstich und obenauf einen großen Klecks Mecklenburger Götterspeise; in Rum getränktes Pumpernickel mit Kirschen und viel Sahne. Auf halber Strecke allerdings blieb seine Begleitung im Gedränge stecken und traf dabei auf eine Bekannte, die sie noch gar nicht begrüßt hatte und ach so lang nicht mehr gesehen. Sie vertröstete uns auf später, vergaß allerdings nicht, sich noch den süßen Teller reichen zu lassen. Als wir dann endlich saßen, rührte Jochen schweigend in seiner schmalen Porzellantasse und schaute mich eindringlich an.

„Hast du eigentlich in Göttingen schon ein Mädchen kennengelernt?"

Ich schüttelte den Kopf und verzog das Gesicht. Frauen waren wirklich das Letzte, womit ich mich zurzeit beschäftigen wollte. Jochen verglich meine Reaktion mit seiner eigenen, wenn man ihn nach seiner amourösen Kondition fragte, und konnte wohl keinen alarmierenden Unterschied feststellen.

„Hast du jemanden aus deinem Corps eingeladen?" fragte er weiter.

Ich schüttelte den Kopf.

„Deine Verbindungszeit musst du genießen! Du wirst im Leben nie wieder so jung sein."

Ich merkte, wie meine Augen peinlicherweise feucht wurden, und klimperte hastig. Jochen lenkte sofort ein:

„Aber ich kann mich auch erinnern, dass mich das Verbindungsleben manchmal genervt hat."

Ich rührte angestrengt in meiner Tasse.

„War ja alles ganz nett", fuhr er fort. „Aber ich hatte trotzdem das Gefühl, dass ich meine Zeit vertrödele. Erst ist es lustig, dann wird es eintönig. Es warten doch ganz andere Aufgaben auf einen."

Ich schob den Kopf nach vorne, dass es wie ein Nicken aussah.

„Man ist doch weder Fisch noch Fleisch, wenn man seine Zeit im Studium absitzt und nichts Ordentliches mit sich anzufangen weiß."

Ich glaubte ihm nicht. Ein Jochen, der nichts mit sich anzufangen wusste? Das passte nicht zusammen.

„Ich schwör es dir! Mir ist es damals nicht anders ergangen. Als Student hat man viel zu viel Zeit, um sich Gedanken zu machen."

Jochen nahm einen kräftigen Schluck aus seinem Weinglas und rückte seinen Stuhl näher an mich heran.

„Es ist doch so: Wir sind eine Generation, die wie Goldfische aus dem Aquarium in den Ozean gekippt wurde. Die Welt unserer Väter gibt es nicht mehr. Das Militär ist tot. Die Monarchie ist tot. Die Wirtschaft ist tot und die Parlamentarier geistern palavernd über ihre Gräber. Meinst du, es wundert irgendwen, dass einer wie du nicht mehr weiß, wo vorne und hinten ist?"

Mein Kinn zitterte. Jochen schien mich besser zu kennen, als ich mich selbst. Da hatte ich eine Eingebung.

„Ich möchte dir etwas zeigen", sagte ich und stand auf. „Komm mit!"

Erst sträubte Jochen sich. Dann schloss er sich mir wohl oder übel an. Wir liefen im Fackellicht über den Innenhof, durch eine Seitentür und betraten von hinten den vorderen Teil des Schlosses.

„Georg! Was willst du mir denn zeigen?" rief er mir hinterher. Aber ich antwortete nicht, sondern lief nur noch schneller durch die Gänge des Schlosses. Ich öffnete eine schmale Tapetentür, die in einen Salon führte, durchquerte den Raum und blieb vor einem großen Schrank stehen. Dann langte ich zwischen Schrank und Wand und zog das versteckte Porträt hervor.

„Bitte schau dir dieses Bild an", sagte ich leise. „Genau so fühle ich mich, verstehst du?"

Jochen sah mich entgeistert an.

„Aber das ist doch eine Frau!"

„Darum geht es nicht."

Jochen wirkte erleichtert.

„Es geht darum", ich fuhr mit dem Finger über die dicken Linien, „dass ich mich *von innen* so fühle."

Jochen wusste erst nicht, was er dazu sagen sollte. Vermutlich war ihm so was noch nie mit einem Rekruten passiert. Als ich später über diese Szene nachdachte, wurde mir klar, dass Jochen mit dem, was nun folgte, nicht nur die Zukunft des Deutschen Reichs retten wollte, sondern auch seine eigene.

„Setz dich", sagte er zu mir.

Ich setzte mich. Er selbst lief wahllos hastend durch das Zimmer, als suche er den richtigen Anfang. Dann fand er ihn.

„Du bist auf einen Trick der Liberalen reingefallen", erklärte er.

Was sollte das schon wieder heißen? Aber Jochen interpretierte mein Schweigen als Zustimmung und probierte an mir seine Referatsfähigkeit aus.

„Die Liberalen wollen dir weismachen, dass es nur um den Einzelnen geht", fuhr er mit lauter Stimme fort, „ums *Individuum*! Ums *Ich*! Damit wollen sie dich schwachmachen. Wollen dich aus deinem Umfeld loslösen. Wollen dir weismachen, dass alles eine Frage der Perspektive ist: in alle Richtungen beweglich, ein Fähnchen im Wind, biegsam wie eine warme Kerze. Aber eine Kerze, ich sage es dir, Georg, eine Kerze ist nichts gegen einen dicken, deutschen Eichenstamm."

Ob an Jochen ein Dichter verlorengegangen war?

„Was passiert aber, wenn jeder nur das macht, wozu er gerade Lust hat? Dann entsteht Chaos und aus Chaos wird Willkür und an nichts zerbricht der Mensch schneller als an Willkür. Wir dürfen uns von ihnen nicht auseinandertreiben lassen."

Kurze Pause, dann rief er laut:

„Man kann uns nicht einfach so ablösen! Wir Konservative folgen ewig gültigen Werten. Liberale aber haben keine Werte. Sie verneinen es sogar, Werte zu haben. Frei nennen sie das. Individuell nennen sie das. Verräter im passenden Moment, sage ich. Alles Opportunisten!"

Taugte Jochen eigentlich mehr als Politiker oder als Bauer?

„Sie leugnen die Versailler Peitsche und behaupten sogar noch, dass mit dem Westen die große Freiheit über uns gekommen ist. Merkst du, was sie da tun? Sie verraten das Deutsche Reich. Sie verbrüdern sich mit seinen Feinden, mit der Entente."

Bitte, wessen Ente?

„Aber wie das ausgeht, sehen wir ja: Wir buckeln die Schulden des Westens ab und in Wahrheit finanziert Deutschland die Faulheit anderer Völker!"

Viel Temperament, gut fürs Parlament.

„Ich sage dir, das ist ein zersetzender Geist, der von den Liberalen ausgeht. Vergnügen, das können sie sich, und Geld scheffeln. Dabei gehen sie einen Pakt mit dem Teufel ein."

Ein Pfarrer von der Kanzel…

„Jeder soll glauben, was er will. Woher einer kommt, zählt für sie nicht. Unter den Liberalen versammeln sich ehrlose Verbrecher."

…gegen den Antichrist predigend?

„Liberale haben, anders als wir, keine Scholle, zu der sie gehören. Das Einzige, was Liberale interessiert, ist der Mammon. Dann stecken sie sich die Taschen voll. Um das zu verhindern, brauchen wir eine feste Ordnung: stark, ständisch, deutsch. Und jetzt kommst du ins Spiel, Georg!"

Ich hatte es befürchtet.

„Dich können sie nicht in die Finger kriegen. Du bist durch deine Herkunft gegen ihre Angriffe gefeit. Du, Georg, du hast Kultur!"

Was meinte er damit?

„Du hast Ideale!"

Hatte ich die?

„Du, Georg, bist ein Erbe!"

Ich stöhnte.

„Du gehörst von Geburt an zur einzig wahren Elite, die nicht nur auf ihre Rechte pocht wie all die gierigen Kapitalisten, sondern auf die Pflichten. Erst durch die Pflicht wirst du zum Führer deiner Leute. Dafür, Georg, bist du geboren!"

Konnte ich wirklich für etwas geboren sein?

„Spürst du nicht auch, dass uns ein großes Ganzes umfängt?"

Doch, ich spürte es.

„Es ist das ewig Gültige!

Jochen machte eine hoheitsvolle Pause. Dann zeigte er auf mich, als wäre ich ein Königssohn.

„Du musst dich heute schon auf deine Aufgabe vorbereiten", erklärte er. „Sonst werden sie über dich herfallen wie die Geier."

Jochen sah zufrieden aus, mich hatte das große Entsetzen gepackt.

„Unseren Besitz werden sie uns immer neiden. Lieber heute als morgen aus den Händen reißen. Du weißt ja, wie viele Güter zurzeit bankrottgehen. Damit dir das nicht passiert, musst du bei jedem Schritt auf Stärke setzen. Den richtigen Weg weisen dir deinesgleichen", Jochen zeigte mit dem Finger auf mein Bild, „und nicht so ein dahergelaufener Künstler."

Jochen horchte dem Klang seiner Worte nach und schaute mich dann vertrauensvoll an.

„Georg, das war jetzt wirklich ein sehr wichtiges Gespräch zwischen uns. Verstehst du das?"

Ich nickte.

„Dann soll es man gut sein für heute. Lass uns zurück zu den anderen gehen!"

Auf dem Rückweg kam ich nur mühsam voran. Wie naiv ich doch noch war! Ich blieb vor einem Fenster stehen und wollte auf keinen Fall, dass Jochen auf mich wartete.

„Ich gehe schon mal vor", sagte Jochen, der zum Glück erkannte, dass ich den Moment für mich brauchte. Ich starrte aus dem Fenster. Unten auf der Terrasse versammelten man sich für den Fackelzug. Man steckte die Köpfe aneinander. Die Flammen leckten von Docht zu Docht und warfen Schatten auf die Gesichter wie heimliche Kobolde. Jochens wundersame Worte gingen mir nicht aus dem Kopf: Das Ewige! Das Ganze! Als Einheit, die alles umfasst, was Leben bedeutet. Demnach auch mich selbst in sich trägt. Diese Botschaft wirkte auf mich genauso tröstend wie erlösend.

Ich betrachtete die Menge der Gäste. Sie wirkte harmlos, friedvoll, liebenswürdig. Was hatte ich nur für ein Problem mit den Leuten? Warum war ich so scheu, so schüchtern wie ein Schüler, der in Panik geriet, sobald er zwischen Älteren stand? Warum so isoliert von meiner Umgebung, wenn mir doch gefiel, was ich sah? Hier wurde eine Cotillonnadel ans Revers gesteckt, dort ein Blumenkranz ums Handgelenk gebunden. Dies alles im Versprechen, sich später auf der Tanzfläche zu begegnen. Mein

Vater hielt Mutter im Arm, sie ihren Kopf an seine Schulter gelegt. Die Hunde strichen den Gästen um die Beine, ohne Leine, ohne Wärter. Sie ließen sich von den Herren Stöckchen werfen, um es mal zu apportieren und mal mit einem Krachen zu zerbeißen. Wildgeworden jagten sie um einen flinken Schuh herum, der die Beute jedes Mal vor ihrer Nase wegstieß, und bellten entrüstet, gleichsam fordernd, das Spiel auf ewig weiter so zu treiben. Da überkam mich der sehnliche Wunsch auch dazuzugehören. Ich lief los. Als ich den Festsaal erreichte, faltete die Dienerschaft gerade die Tischdecken zusammen.

„Husch, husch!", rief Gusta, ein vollbeladenes Tablett vor sich abstellend. „Beeil dich! Man hat schon nach dir gesucht."

Ich warf ihr ein verschmitztes Lächeln zu. Meine Wangen glühten.

„Da bist du ja", empfing mich Luise, die sich neben einem Stapel Fackeln aufgestellt hatte. Ich wollte mir eine nehmen, doch Luise hielt mich zurück.

„Georg", sagte sie in einem verdächtig sanften Tonfall. „Du kannst doch so wunderbar Trompete spielen. Könntest du den Zug anführen?"

Ich fühlte mich überrumpelt. Hätte sie mir das nicht früher sagen können?

„Bitte, bitte", bettelte Luise, wie nur Schwestern es können. „Bitte, Georg, bitte bitte! Es ist doch viel netter, wenn einer aus der Familie spielt und kein Fremder von der Rostocker Kapelle. Und du kannst doch so toll Trompete spielen."

Es stimmte. Ich war ein guter Trompetenspieler. Schon hatte Luise mir das Instrument in die Hand gedrückt, schob mir den Arm unter und führte mich an die Spitze des Zuges.

119

„Du kannst das, Georg", sagte sie. Ich ließ ein helles Signal aus der Trompete ertönen, damit man sich hinter mir aufstellte. Luise ging einen Schritt voran. Ich überlegte, was ich zuerst spielen sollte. Das große Halali? Luise nickte. Also stimmte ich die vertraute Melodie an und sie klang zu meiner Beruhigung vom ersten Ton an klar hervor; gar nicht zitternd, gar nicht zögernd.

Als wir das Wäldchen am Ende des Parks erreichten, gingen mir die Ideen aus. Also spielte ich meine Reihe noch einmal von vorn. Die Gäste stimmten mit ein, sangen leise vom Märzen der Bauern und dem Mond, der aufgegangen war. In der Ferne leuchteten die Fenster in der dunklen Fassade meines Elternhauses, warm und heimelig. Darüber ruhte der Mond, satt und rund, und schickte ein Glitzern über den See. Da löste sich eine Sternschnuppe vom Himmel, als klänge mein Lied bis zu den Sternen. Neben mir schritt Luise mit großem Ernst, als vollzöge sie eine Prozession. Eine Träne rollte ihre Wange hinab. Mein Vater, der das bemerkte, gab seine Fackel einem, der hinter ihm lief, und legte den Arm um seine älteste Tochter. So liefen sie – Vater, Mutter, Kind – nebeneinanderher, bis ich mein Spiel beendete. Dann reihte ich mich bei ihnen ein, schritt sachte neben ihnen her … da kehrte mit einem Mal eine Ruhe in mir ein, als wäre ich niemand außer ganz Ich selbst.

Keiner aus der Familie bemerkte, dass Helenes sehnsuchtsvoller Blick auf uns ruhte. Sie hatte sich in die letzten Reihen zurückfallen lassen, damit Charles-Édouard ihr dorthin folgen konnte. Doch der zog es vor, bei den anderen zu bleiben, und dachte gar nicht daran, diesen kostbaren Moment mit Helene allein zu verbringen. Sie schaute auf ihre Fackel. Da floss ihr die Erkenntnis wie ein Tropfen heißes Wachs ins Herz. Ein kurzes Leuchten, warm und weich, fast schüchtern. Dann stieß die Wahrscheinlichkeit wieder zu: Er liebte sie womöglich gar nicht.

"Alles vergeht. So ist es immer gewesen", versuchte sie sich zu beruhigen. Doch sie blieb hektisch. Wollte schmecken. Dachte nicht. Nur nicht schlucken.

Im Anschluss an den Fackelzug musste ich unzählige Gratulationen entgegennehmen. Die Mädchen lächelten lieb und die Herren klopften mir anerkennend auf die Schulter, so auch Charles-Édouard. Ich fragte ihn, ob er Trompete spielte. Aber Charles-Édouard lachte nur.

„Ich bin doch kein Musiker. Ich lasse lieber spielen."

Nachdenklich sah ich ihn an. Konnte Charles-Édouard womöglich nichts Besonderes, außer vielleicht gut auszusehen? Hatte Axel am Ende recht gehabt? War er nicht mehr als ein dekadenter Fatzke? War ich auf Charles-Édouard hereingefallen, ähnlich wie auf das Bild?

So viele Menschen in der Zwischenzeit auch um mich herumgestanden hatten, zum Schluss blieb keiner bei mir. Also stellte ich mich alleine an die Bar, von wo aus die Gäste mit allen Getränken versorgt wurden, die man sich nur wünschen konnte. Ich betrachtete die einzelnen Gruppen, die sich ununterbrochen etwas zu erzählen hatte. Obwohl kein Wort an mich gerichtet wurde, blieb ich mitten unter ihnen und zwang mich, nicht wie üblich nach dem nächsten Ausgang zu spähen. Da bat mich meine Mutter, ihr ein Glas Wein zu bringen, weil sie das Gedrängel vor dem Tresen scheute.

„Glaubst du, dass sie so glücklich sind, wie sie tun?", fragte ich, doch sie konnte mich nicht verstehen, weil es zu laut um uns herum war.

„Lass uns auf die Terrasse gehen", sagte sie. Ich folgte ihr in die laue Abendluft, durch die der Duft von grünen Blättern wehte.

„Was hast du eben gesagt?", fragte Mutter.

„Ob du glaubst, dass sie so glücklich sind, wie sie tun."

„Wen meinst du damit?"

Ich zeigte mit einer ausladenden Geste auf die Gäste um uns herum.

„Alle hier."

„Nein, das glaube ich nicht", sagte Mutter. „Jeder von ihnen hat sein Päckchen zu tragen."

„Aber sie tun so fröhlich. Dann machen sie sich doch etwas vor!"

„So würde ich das nicht sehen", widersprach Mutter. „Es ist nicht der richtige Ort, um schlechte Stimmung zu verbreiten: um jedem auf die Nase zu binden, wie schlecht es einem geht und was einem Schlimmes angetan wurde. Das will jetzt keiner hören, und das ist auch gut so. An so einem Abend wollen alle fröhlich sein, egal was sie sonst im Leben noch bedrückt."

Das konnte ich nachvollziehen, auch wenn ich dadurch bestimmt nicht genauso fröhlich wurde.

20

Nachdem Graf Plasbalg zwei Runden Quadrille getanzt hatte, einmal mit seiner Frau und einmal mit Luise, schaute er sich die Jugend von der Galerie im oberen Stockwerk aus an. Er lehnte sich über die Balustrade und beobachtete, wie sie ihre Drehungen und Verbeugungen in der Quadrille vollbrachten: trippel trippel, Schritt Schritt, Knicks. Erst paarweise in Zirkeln, dann bildeten sich lange Reihen. Auf einer Seite standen die Jungen, gegenüber die Mädchen. Marsch, marsch, zwei Schritte nach vorne, erst knicksten die Mädchen, darauf folgte die Verbeugung der Herren. Zwei Schritte wieder zurück, dabei eine halbe Drehung. Graf Plasbalg fand das Schauspiel lieblich, wenngleich es ihm recht gezähmt vorkam. Damals in Paris, als er so jung war wie die Gäste in seinem Haus, hatte er gewiss keine Quadrille getanzt wie ein morbider Infant. Paris war eine Welt, die ganz ohne Popanze wie Rasse, Klasse oder Herkunft daherkam. Eine Welt, in der jeder hüpfte, um wen es ihm gefiel, und keiner tanzte wie vorherbestimmt.

Er hatte damals nicht wissen können, wie sehr ihn diese Zeit prägen würde, dass er alles, was danach kam, mit der *manière de vivre* aus Paris vergleichen würde. Dass er allerdings Teil von etwas Besonderem war, hatte er damals schon gespürt. Nicht auf einen Schlag. Eher Nacht Nacht, Rausch für Rausch, war sein altes Selbstbild verschwunden, sodass er sich vorkam, als würde er jeden Morgen neu geboren werden. An jedem Morgen, an dem er einen dunklen Tanzpalast verließ und die Vögel ihn mit lautem Zwitschern begrüßten. Als er nun an seine Zeit in Paris dachte, wurde ein Wunsch in ihm laut: Solch ein Erlebnis wollte er seinen Kindern auch ermöglichen. Es durfte nicht sein, dass sich die Welt wieder zurückdrehen konnte. Er musste ihr einen Schubs geben, aber wie?

Da beobachtete er, wie ein Mädchen die Hand vom Nacken ihres Tanzpartners und der seinen Arm von ihrer Schulter nahm, als sie an seiner Frau vorbeigingen und dabei höflich nickten. Kaum außer Sichtweite aber nahmen Arm und Hand wieder den alten Platz ein. Da wusste er, was er zu tun hatte. Er drehte auf dem Absatz um, lief in den Saal und suchte seine Frau.

Ich saß bei meiner Mutter auf der Terrasse, als mein Vater zu uns kam und sie mit einem verschwörerischen Nicken hochzog.

„Ich denke, es ist das Beste, wenn wir die Kinder nun alleine lassen. Wir stören hier doch nur."

Mutter sah ihn verstört an und glaubte wohl, sich verhört zu haben.

„Das können wir doch nicht verantworten."

„Doch, doch", sagte der Vater, der die Wahrheit seines Denkens in der Praxis bewiesen sehen wollte.

„Man kann, weil es das Beste ist. Vertrau mir!"

Er zog sie durch den Saal. Ich sah ihnen staunend hinterher. Einmal noch versuchte Mutter ihn aufzuhalten, um wenigstens Luise Bescheid zu sagen. Doch er ließ sie nicht aus dem Arm, flüsterte ihr etwas ins Ohr. Dann verließen sie das Fest.

Ich steckte mir eine Zigarette an und rauchte sie in zwei schnellen Zügen bis zum Ende. Was war das für eine Nachricht, dass die Eltern den Ball verließen? Es wunderte mich. Der Vater ließ sich sonst keine fröhliche Gesellschaft entgehen. Aber es hatte für mich so ausgesehen, als sei er fest entschlossen, nicht wieder zurückzukehren. Das musste ich sofort Helene erzählen. Die würde es lieben, während Luise eventuell die Motten kriegte.

Auf meinem Weg zu Helene versperrte mir meine Tischdame den Weg und schob mir eine Cotillonnadel ans Revers. Sie wolle unbedingt mit ihrem Tischherrn tanzen, sagte sie, und dass ich ganz wunderbar Trompete spielen könne. Dabei gackerte sie zwischen den Sätzen, wie ich es schon von ihr kannte. Allerdings fand ich es jetzt nur noch halb so schlimm. Konnte man sich daran gewöhnen? Es schien so ihre Art zu sein. Ich nickte und versprach ihr den nächsten Tanz, aber vorher müsse ich etwas Wichtiges mit meiner Schwester besprechen. Ich streifte ihren Arm ab. Sie lief mir noch drei Schritte hinterher, doch ich war schneller.

Ich fand Helene inmitten ihrer Freundinnen, in einer dieser Ansammlungen, in der ein Mann nichts zu suchen hatte. Ich versuchte Helenes Aufmerksamkeit zu gewinnen, indem ich sie aus sicherem Abstand anstarrte. Doch Helene merkte nichts, bis eine Freundin ihr auf die Schulter tippte und unauffällig auf mich zeigte. Wenige Sekunden vergingen, dann griff Helene nach ihrer Handtasche, die an der Stuhllehne hing, und drehte sich halbwegs zu mir um. Dann gab sie ihrer Freundin ein Zeichen der Entwarnung und winkte mich zu sich. Ich stellte mich sicherheitshalber nur an den Rand der Gruppe und nuschelte:

125

„Die Eltern sind weg."

Helene verstand nicht.

„Die Eltern sind weg", wiederholte ich hölzern, auf jedes Wort konzentriert.

„Wie lange schon?"

„Gerade gegangen."

„Und was heißt das jetzt?"

Wie, was sollte das heißen?

„Sie kommen nicht wieder. Sie haben sich zurückgezogen."

Helenes Mund blieb offen stehen.

„Woher weißt du das?"

„Vater hat es selbst zu Mutter gesagt und dann sind sie aus dem Saal gegangen."

„Und da bist du dir ganz sicher?"

Ich nickte.

Helene schnappte nach Luft: wie ungewöhnlich, aber phantastisch, das müsse sie sofort Charles-Édouard erzählen.

„Was ist denn los?", wollte ihre hübsche Freundin wissen. Doch Helene war noch zu verwirrt, als dass sie darauf antworten konnte.

„Die Eltern haben die Gesellschaft verlassen", sagte ich zu der Hübschen.

„Ist das Fest jetzt vorbei?", fragte sie erschrocken.

„Davon gehe ich nicht aus", erwiderte ich und die Hübsche schaute mich dankbar an, als hätte ich persönlich den drohenden Abbruch des Festes zu verhindern gewusst.

„Wollen wir es Luise sagen?", fragte ich Helene.

Helene dachte angestrengt nach und ihre Augen kniffen dabei in die Blumendekoration.

„Eigentlich müssen wir es ihr sagen, immerhin ist es auch ihr Fest. Allerdings könnte Luise nach dieser Meldung zum Oberzeremonienmeister mutieren und meinen, von nun an Anweisungen verteilen zu müssen."

Wir sahen uns ratlos an.

„Wir sagen Luise nichts", beschloss sie. „Es läuft doch alles bestens. Sie wird es schon früh genug merken und wir tun dann einfach so, als wüssten wir von nichts."

Ich zuckte mit den Schultern. Sollte mir recht sein. Sollten die Schwestern das unter sich ausmachen, falls Luise später unangenehm wurde.

Da klemmte sich meine Tischdame bei mir unter.

„Wollen wir? Der nächste Tanz beginnt gleich", sagte sie und erhöhte den Druck auf meinen Arm, als ich nicht sofort reagierte. Ich ließ mich von ihr zur Tanzfläche führen, wobei ich sie vorwarnte, kein großer Tänzer zu sein, ich würde ihr bestimmt auf die Füße treten. Sie gackerte und zählte in einem breiten Französisch die Figuren der Quadrille auf, bei denen man sich gar nicht auf die Füße treten konnte, und dann noch eine Variante, bei der dies möglich war, die aber hier nicht getanzt wurde.

Mit einem Blick zurück, wobei ich noch mal nach der Hübschen schauen wollte, sah ich, dass Helene aufgestanden war und schon bei Charles-Édouard stand. Ob der auch Quadrille tanzen musste? Das passte so gar nicht zu ihm. Neben mir hüpfte meine Tischdame von einem Bein aufs andere. Am liebsten hätte sie sich sofort zwischen die tanzenden Paare gedrängelt. Ich konnte sie gerade noch zurückhalten. Ich wollte bis zum nächsten Stück warten und mir die Schritte noch mal in Ruhe ansehen. Als es so weit war, stellten wir uns im Viereck auf, nickten unseren Partnern zu und die Kapelle spielte die ersten Takte. In meinem Zirkel schafften allerdings nur zwei Herren ihren Einsatz und verbeugten sich vor ihren Damen. Ich und noch ein anderer patzten. Alle lachten und riefen laut „Diener, die Herren!" und dann „Andersherum!", als ein Mädchen seine Drehung in die falsche Richtung einschlug, was gar nichts machte, außer Spaß. Sogar mir ein bisschen, und ich hatte nach der vierten Runde tatsächlich meine Schritte parat.

Plötzlich hörte ich eine zweite Musik. Erst so schwach, dass ich sie für eine Einbildung hielt. Dann wurden die fremden Klänge stärker. Bald stritten sie um den Vorrang, was stark disharmonierte, da weder Tonart noch Rhythmus übereinstimmten. Die Musiker von der Rostocker Kapelle wollten ihre Instrumente sinken lassen, doch Luise erlaubte es ihnen nicht. Sie wirbelte ihre Arme hoch, weiterspielen! Unaufhaltsam schoben sich die kessen Rhythmen über den bekannten Trott. Zu diesem Mischmasch konnte keiner mehr Quadrille tanzen. Das Parkett stockte. Irritiert wie ein Rudel, das nicht wusste, woher der Schuss gekommen war, scheuten die Tanzpaare nach links, nach rechts, dann kuschte man sich, bis sich klärte, was hier los war.

Da sah ich den ersten Musiker. Er blies mit vollen Backen in sein Saxophon und stolzierte auf die Tanzfläche. Ihm folgten zwei Trompeten, eine Geige und eine Klarinette. Ein Musiker hatte sich zwei aus dickem Korb geflochtene Trommeln umgehängt, auf die er mit der flachen Hand schlug. Alle trugen rotweiß gestreifte Anzüge und runde Strohhüte, von denen herab rotweiße Schleifen flatterten. Ich sah noch, wie Luise sich dem Überfall in den Weg stellen wollte. Doch Helene hielt sie zurück.

Da ging ein Raunen durch den Saal. Eine silberne Feder hüpfte über die Köpfe. Dann war sie wieder verschwunden. Alle drängten dichter zu den Stellen, von wo aus man einen Blick auf das Geschehen werfen konnte. Wieder blitzte die Feder auf und schlüpfte durch die Gäste, die ihr flugs auswichen, sobald sie ihr zu nahe kam. Die Musiker aus Rostock hatten ihr Spiel mittlerweile aufgegeben und sich auf ihre Stühle gestellt, um besser gucken zu können. Plötzlich teilte sich vor mir die Menge, als wäre ein Schwert durch sie hindurchgefahren.

Am unteren Ende der bauschigen Feder sah ich ein schmales Gesicht mit großen, dunklen Augen. Von den Schläfen an schwang sich jeweils eine pechschwarze Strähne bis fast an die Wimpern heran. Der Rest des kurzen Haars lag fest am Kopf wie ein Helm. Silberne Pailletten klimperten an einem Bustier, das durch einen schmalen Streifen über dem Bauchnabel mit dem knappen, ebenfalls silbernen Höschen verbunden war. Von dort an streckte sich, am Bein hinab bis zum Boden, ein bauschiger, rosafarbener Federschweif.

Mir wurde heiß. Bitte wie hatte sich die Tänzerin gerade bewegt? Hüfte schütteln, Knie zum Ohr? Ich kämpfte mich vor bis in die erste Reihe und kam gerade rechtzeitig, als die Tänzerin ihr Bein bis auf Schulterhöhe hochschwang. Die Feder folgte mit flackerndem Stoß. Auf den nächsten Schlag streckte die Tänzerin den Arm. Nun folgte ein Sprung. Dann das Gleiche mit dem anderen Bein. Elektrische Schläge schossen durch ihren Körper. Alles vibrierte bis in die Fingerspitzen. Schlängelnd schob sie sich voran. Drei Schleifen, dann brach die Tänzerin mit ihrem eigenen Tempo, ließ den Oberköper nach vorne fallen und die Knie auf- und wieder zusammenklappen.

Wenn ihre Hüfte stakkatohaft zuckte, als wollte sie jemanden schubsen, die Arme zur Seite schwebten und kleine Wellen sich in die Fingerspitzen webten, erinnerte mich die Tänzerin an eine Phantasie aus dem Serail. Doch sie beließ es nicht beim Anflug zarten Elfenscheins. Es war unmöglich, diese *femme fatale* als keusches Wunderwesen zu betrachten. Dafür war sie viel zu frech. Sie spitzte ihre Lippen keck und streckte sie einem Jüngling entgegen, der darüber erschrocken zurückwich. Nur Charles-Édouard wich nicht zurück, sondern holte sich einen Kuss ab. Daraufhin ließ sie sich in seine Arme fallen, bog sich im Rücken weit nach hinten, drehte ihr Köpfchen in Richtung des Publikums und schielte tief zur Nase. Ich musste schmunzeln. Sie schien den großen Charles-Édouard auch nicht ernst zu nehmen.

Flugs schälte sie sich wieder aus seinem Arm und hüpfte wie ein Affe im großen Satz davon. Dann trommelte sie mit ihren nackten Füßen auf den Boden und schlug mit einer Hand auf die Holzdielen, danach sich selbst auf den Hintern, dasselbe mit der anderen Hand, zweimal noch, dann schüttelte sie ihren Körper durch die Brüste in die Schenkel. Meine Tischdame wurde blass um die Nase und hielt sich vor Erstaunen die Hand vor den Mund. Im Augenwinkel sah ich einen, der sich die Nase zuhielt, einen anderen, der sich pikiert abwandte, als wäre eine Nummer dieser Art unter seinem Stand und seiner Würde. Die meisten aber blickten wie gebannt auf den exotischen Brausewind und schnipsten mit den Fingern im

Takt, der immer schneller wurde, als gäbe es eine Trophäe zu erlegen.

Schließlich sprang die Tänzerin mit einem Satz auf einen Stuhl und drehte sich mehrmals um ihre eigene Achse. Die Musik ballte sich zum Finale. Sie stellte einen Fuß auf die Lehne, kippte mit dem Stuhl nach vorne und landete unter einem Stöhnen der Zuschauer sicher auf beiden Füßen. Dann streckte sie beide Arme weit nach oben, legte den Kopf in die Seite, – trara tata!

Bevor einer entscheiden konnte, ob er nun klatschen sollte oder nicht, sprang Charles-Édouard der Tänzerin zur Seite.

„Meine lieben Freunde", sagte er wie ein Zirkusdirektor, „darf ich euch die weltberühmte Josy vorstellen? Ich habe sie eigens für diesen Abend mitgebracht. Es hat mich einige Überzeugungsarbeit gekostet", er verbeugte sich, als hätte er auch etwas vorzuführen gehabt, „aber es ist mir gelungen, sie für uns zu gewinnen. Meine Damen und Herren, einen ordentlichen Applaus!"

Jule alias Josy, deren Brustkorb noch schnell pumpte, vollführte eine Drehung und ließ sich vornüber in eine tiefe Verbeugung sinken. Die ersten klatschten, Helene am lautesten, weitere fielen ein, und Josy lief winkend unter einem, am Ende dann doch ganz passablen Applaus aus dem Saal und verschwand.

21

Sobald die Tänzerin den Saal verlassen hatte, schnappte Luise sich ihre jüngere Schwester.

„Wieso weiß ich davon nichts? Was um Himmels Willen hast du dir dabei gedacht?"

„Es sollte doch eine Überraschung sein", verteidigte sich Helene.

„Himmel, die Eltern werden das Fest abbrechen."

Luise guckte sich um.

„Wo sind die überhaupt?"

Helene sah sich ebenfalls um und zuckte die Schultern. Charles-Édouard und Theresa, die gesehen hatten, dass Luise ihre Schwester beiseitegenommen hatte, kamen dazu, um Helene zu unterstützen.

„Das war allein meine Idee", erklärte Charles-Édouard. „Helene wusste bis heute Abend nichts davon. Ich dachte, es wäre gern gesehen, wenn diese berühmten Musiker hier ein Konzert geben."

Theresa nickte begeistert.

„Das war doch wirklich ein toller Auftritt", sagte sie. „Alle fanden es großartig."

Luise würdigte die Argumente dieser, ihrer Ansicht nach, irrelevanten Personen in keinster Weise, sondern fixierte Helene eisern.

„Hast du an die Folgen gedacht? Die Leute werden sagen, dass Plasbalg zum Freudenhaus verkommt, wenn hier leichte Mädchen auftreten."

„Nun ist aber gut", schoss Helene zurück. „Jule ist kein leichtes Mädchen, sondern eine Künstlerin."

Luise konnte über so viel Naivität nur die Augen rollen.

„Das glaubst du doch nicht ernsthaft!"

Helene glaubte gar nichts, aber sie versuchte einen versöhnlicheren Ton anzuschlagen.

„Liebe Luise, das war doch wirklich ein schönes Erlebnis. Gewiss etwas ungewöhnlich, aber die Musik war famos und man kann doch nicht den ganzen Abend Quadrille tanzen."

„So war es ja auch nicht gedacht", korrigierte Luise. „Es soll sehr wohl auch Modernes gespielt werden. One-Step und so. Ich bin doch nicht von gestern."

„Ich weiß, dass du nicht von gestern bist. Deswegen habe ich darauf gesetzt, dass du es auch gut finden wirst, wenn diese berühmten Musiker hier bei uns auftreten. Es soll doch ein unvergesslicher Abend werden."

Die Ältere knirschte mit den Zähnen.

„Wo hast du sie untergebracht?"

„Die Musiker im Gesindestübchen."

„Und diese Tänzerin?"

„Jule hat sich in meinem Zimmer umgezogen", sagte Helene und spürte den nächsten Sturm aufziehen. Tatsächlich zog Luise nun ihre Worte wie Gummi auseinander und schnalzte sie Helene ins Gesicht:

„In deinem Zimmer?"

„Ja, in meinem Zimmer. Sie kann sich doch nicht zwischen den Männern umziehen. Das geht zu weit."

„Nein, meine Liebe", fauchte Luise, „es geht zu weit, wenn du eine wildfremde Person in unserem Familientrakt unterbringst, ohne irgendjemandem Bescheid zu sagen. Wenn die mir etwas klaut, wirst du dafür aufkommen! Wehe, die betritt meine

133

Räume! Herrje, ich muss sofort abschließen."
Damit drehte sie sich um und lief aus dem Saal.

Helene pustete sich an die Stirn, als hätte sich dort eine störende Haarsträhne abgelegt, und sah Theresa an.

„Sie ist in unserem Zimmer?"

Theresas Tonfall ließ ahnen, dass auch sie gewissen Zweifel an Helenes Verstand hegte.

„Da muss ich deiner Schwester recht geben. Ich finde das auch nicht gut. Da liegen doch teure Sachen rum. Auch meine."

Helene schoss das Bild von Jule in Theresas Kleid in den Kopf. Aber davon sagte sie jetzt lieber nichts.

„Mach dir mal keine Sorgen."

Helene nahm Theresas Hand.

„Jule ist ein sehr nettes Mädchen und macht bestimmt nichts kaputt."

Theresa runzelte die Stirn. Doch es blieb keine Zeit, weiter zu diskutieren, denn Charles-Édouard legte den Mädchen jeweils einen Arm um die Schultern und führte sie zur Bar.

„Meine Hübschen, darauf wollen wir anstoßen! Das war ein voller Erfolg."

Das fand Helene auch. Sie hatte es wunderbar gefunden, Jule tanzen zu sehen. So wollte sie auch tanzen können. Jule war zwar verschwunden, die Musiker hielten sich aber noch im Saal auf. Sie standen neben der Kapelle und schauten sich neugierig um. Charles-Édouard drehte sich der Gruppe zu, beglückwünschte sie zu ihrem Auftritt und Helene versorgte jeden mit einem Glas Champagner. Dann klirrten die Gläser.

Sie habe hier eine hübsche Hütte, sagte ein Musiker zu Helene, ob er sie nicht besser mit Frau Gräfin anreden solle?

„Helene reicht", sagte Helene.

Doch der Musiker ließ sich nicht abwimmeln und fragte weiter, ob die Frau Gräfin für ihn mal ihre Krone aufsetzen könne.

Nein, eine Krone habe sie nicht, sagte Helene, es gebe zwar ein Familiendiadem, aber das hole man nur an Hochzeiten hervor oder für Bälle bei Hof.

„Bei Hof? Aber es gibt doch gar keinen Kaiser mehr."

„Dann nennt man es eben noch so", sagte Helene, woraufhin er lachte und noch einmal bedauerte, dass sie keine Krone trüge, das hätte er recht dekorativ gefunden.

„Die Jule hat ne Krone für eins ihrer Kostüme", rief er. „Setz die doch auf, Frau Gräfin!"

„Jule hat noch ganz andere Sachen, die ich auch nicht tragen kann", konterte Helene, die sich nicht mit Krönchen durch die Gegend spazieren sah. Statt einer Antwort hielt er ihr sein Glas zum Anstoßen hin und zeigte sich einverstanden.

„Hier, halt mal meine Tasche!"

Auf Theresas Appell hin drehte sich Helene um und konnte kaum so schnell reagieren, wie die Freundin ihr das glitzernde Knäuel in die Hand gedrückt hatte und sich von Charles-Édouard auf die Tanzfläche ziehen ließ. Der Musiker plapperte ihr weiter ins Ohr, doch Helene hörte ihn kaum. Sie konnte nicht fassen, dass Charles-Édouard immer noch nicht mit ihr getanzt hatte, stattdessen aber Theresa aufforderte, die ihren Kopf nun lachend nach hinten warf und sich offensichtlich blendend amüsierte.

Helene fragte sich, was sie anstellen musste, um mehr Aufmerksamkeit von Charles-Édouard zu kriegen. Aber wie sollte sie das machen? Zwischen den Herren, die nicht tanzten und an der Bar standen, und den Damen, die in ihrer großen Schar an den Tischen saßen, schien eine unsichtbare Grenze zu verlaufen. Keiner der Jungen, die sich nach dem Tanzen von ihrer Tanzpartnerin trennten, ging zu den Tischen, und kein Mädchen blieb zwischen den Jungs stehen, – als hätte mit Argwohn zu rechnen, wer sich zu lange im anderen Lager aufhielt.

Im Gegensatz dazu waren sich Theresa und Charles-Édouard mittlerweile ziemlich nah gekommen. Theresa tanzte mit dem Rücken zu ihm, nah vor seiner Brust, wippte mit der Hüfte, ihre Hand in seiner Hand, die Finger miteinander spielend. Seine andere Hand legte er auf ihre Taille, glitt dann langsam hinab. Helene blieb der Mund offen stehen.

„Schau da nicht so hin!", zischte ihr Luise ins Ohr.

„Ich schau doch gar nicht", behauptete Helene.

„Deine Freundin benimmt sich unmöglich, und dieser Charles-Édouard strapaziert den ganzen Abend schon meine Nerven. Warum haben wir solche Leute überhaupt eingeladen?"

„Sei nicht so streng! Die tanzen doch nur", verteidigte Helene, was sie selbst bedrückte. Luise verdrehte die Augen. Bevor sie aber noch weiter schimpfen konnte, tippte Jochen ihr auf die Schulter und forderte sie zum Tanzen auf. Luise warf Helene einen nachhaltig strengen Blick zu, dann verwandelte sich ihr Ausdruck von einer Sekunde auf die andere in ein liebes Lächeln, und sie folgte Jochen auf die Tanzfläche.

Helene blieb allein am Rand stehen. Keine drei Meter vor sich sah sie Charles-Édouard, immer noch tanzend, nun allerdings nicht mehr mit

Theresa, sondern mit einer der zwei Puten, die ihn schon vor dem Fackelzug umgarnt hatten. Unglaublich, wie unverhohlen das Mädchen ihn anhimmelte. Zu Helenes Beruhigung wirkte Charles-Édouard dabei unbeeindruckt und kühl. Plötzlich rief Charles-Édouard einem Freund etwas zu, woraufhin der den Kopf schüttelte und sich mit seiner Partnerin wegbewegte. Doch Charles-Édouard tanzte ihm nach, wobei er sein Mädchen mit ausgestreckten Armen, möglichst weit weg von sich, weiter im Takt führte. Der Freund zog eine Schnute, doch er musste sich geschlagen geben, denn seine Partnerin nickte lieb und tanzte lächelnd mit Charles-Édouard weiter, der ihm seine Alte in die Arme schob.

Da wurde die Musik mit einem Mal lauter. Die Musiker hatten sich zu der Kapelle aus Rostock dazugesellt und spielten Charleston. Helene schnipste mit ihren Fingern im Takt. Sie kannte die Melodie aus dem Radio.

„Sünde macht man nicht alleine, schubidubida, besser nicht alleine, dubidabidu, die besten Sünden gehn zu zweit ....“

Helene wippte mit der Hüfte. Sie wollte auch tanzen, aber keiner machte Anstalten, sie aufzufordern.

„Schubiduu, ... die besten Sünden gehen zu zweit.“

Ein Lächeln breitete sich über ihr Gesicht. Aber kann denn Tanzen Sünde sein? Helene legte los, auch ohne Partner, klappte ihre Füße auseinander, ließ sie wieder zusammenrutschen, linke Ferse, rechte Ferse, Hacken mit den Zehen, eins, zwei, Beine überkreuz. Sie hüpfte zwischen die tanzenden Paare und ignorierte die erstaunten Blicke, die sie mit ihrem Solo auf sich zog. Sie warf den Kopf hin und her und zupfte eine unsichtbare Saite mit ihrem kleinen Finger, in dem plötzlich mehr Rhythmus steckte, als jemals zuvor. Jede Bewegung kam ihr selbstverständlich vor. So hatte sie noch nie getanzt. Etwas hob sie aus den Schuhen. Sie spürte keinen Boden mehr unter den Füßen. Sie fühlte nur noch die Musik. Wie ihren eigenen Puls. Später dann, als sie aus ihrem Taumel aufsah, blitzte blanke Freude über ihr Antlitz und ihr Strahlen fand seinen Widerhall in den Gesichtern um sie herum. In der Mitte der Tanzfläche hatte sich eine feiernde Menge gebildet, in der alle von der Etikette abgelassen hatten. Aus den glattgewischten Gesichtern sprühte pures Glück, als wären alle in diesem Moment so froh, wie nie in ihrem Leben zuvor und nie wieder danach.

Ein bisschen könnte sie ja auch vor einem Herren mit dem Rücken zu ihm tanzen, genau wie Theresa es vorgemacht hatte, überlegte Helene und drehte sich, weiter mit den Füßen steppend, um hundertachtzig Grad. Der Nächste, der neben ihr stand, passte sich ihren Bewegungen an und tanzte mit ihr weiter. Er legte seine Hand auf ihre Taille. Sie guckte kurz zu Charles-Édouard hinüber und merkte mit Genugtuung, dass er sie jetzt endlich beachtete. Ihr Atem ging schnell. Ihr Brustkorb pumpte und ihr prächtiges Dekolleté wölbte sich bei jedem Atemzug vorzüglich nach oben. Charles-Édouard kam näher, doch Helene zwang sich, nicht hinzugucken. Sie spürte ihn auch so. Sie wusste, was er tat. Dafür brauchte sie den Blick nicht zu heben. Diesmal würde sie es ihm nicht so leicht machen, beschloss Helene, diesmal würde sie ihn ignorieren.

Da legte Charles-Édouard seinen Arm um ihre Schultern und zog sie weg von ihrem Tanzpartner. Sie hielt inne. Er betrachtete sie eindringlich, vom Kopf hinab bis zu ihrem nackten, oberen Rücken. Es prickelte auf ihrer Haut, und sollte doch gleich wie Feuer brennen, denn er fingerte aus ihrem verschwitzten Nacken eine Haarsträhne und sagte:

„Sag mal, hast du gebadet?"

22

Ich hatte mir ein Plätzchen am Rand gesucht und beobachtete in Ruhe, was vor sich ging. Mir fiel auf, dass die Mädchen immer hübscher wurden. Waren sie am Anfang des Abends genauso attraktiv gewesen? Daran konnte ich mich nicht erinnern. Jetzt erschien mir jede auf ihre Weise bezaubernd: die Dicken wie die Dünnen, die Blonden und Brünetten, die Lauten und die Schüchternen. Was war passiert? Kam das etwa vom Alkohol?

Ich schaute auf mein halbvolles Glas. Hier schmeckte mir Wein wieder, auf dem Corpshaus schon lange nicht mehr, aber der Wein, den wir in Göttingen süffelten, war dagegen eine grauselig süße Plörre. Getrunken wurde genug auf dem Haus, dachte ich, aber schöner wurde dadurch keiner. Es musste etwas anderes sein, das eine Art Zauberstaub über uns legte und alles, was darunterlag, alles, was Menschen sonst für mich verkörperten, unsichtbar machte; als reiche die ganze Welt von der Tanzfläche bis zur Terrasse, höchstens noch weiter bis zu den dunklen Bänken im Park. Wenn alle glänzten, stach selbst ein Charles-Édouard nicht mehr heraus. Ich sah ihn an der Bar neben Helene, die ihn mit einem Schulterzucken stehenließ und sich tanzend in die Menge schob.

Plötzlich war die Tänzerin wieder da. Sie stand auf einem Tisch. Alle trieben johlend auf sie zu. Sie trug einen Rock aus Bananen, die an einem Reif um ihre Hüfte baumelten. Darunter einen hautfarbenen Anzug, der über ihrem Busen mit Pailletten bestickt war. Sonst trug sie nichts, was sie bedeckte, sondern nur noch, was sie schmückte: mehrere glitzernde Ketten um die Arm- und Fußgelenke, eine lange Feder wie ein Zirkuspferd auf dem Kopf und einen schwarzen Herrenstock mit silbernem Griff, den sie um sich herumschwenkte. Ich stand auf. Diesmal wollte ich von Anfang an dabei sein.

Wangen glühten, Arme wirbelten durch die Luft. Sogar Axel hatte sich die neuen Tanzschritte abgeguckt, bei denen zackzack die Füße nach hinten ausschlugen, und tobte mit einem Mädchen über das Parkett. Nicht nur einer freute sich. Alle freuten sich. Nicht nur einer verlor die Übersicht. Alle verloren die Übersicht. Nicht nur einer taumelte vor Übermut. Alle taumelten vor Übermut und gingen dabei in einer Einheit auf, als wären alle gleich. Bei diesem Auftritt sah ich niemanden mehr, der sich pikiert abwandte oder die Nase zuhielt wie beim ersten Mal. Diesmal stand mir auch keiner mehr im Weg. Es gab keine Barriere mehr zu überwinden. Keine Distanz. Keinen Halt. Ich brauchte mir keinen Satz mühsam zurechtzulegen, brauchte keine Tasche für meine Hände suchen, keine Zigarette zwischen die Finger stecken.

Man legte sich gegenseitig die Arme auf die Schultern und bildete einen großen Kreis um die Tänzerin, die vom Tisch gesprungen kam und sich mal den einen, mal den anderen aus der Reihe zog, um sich um ihn zu schlängeln. Plötzlich öffnete sich die Runde und bezog alle Gäste mit ein, die bisher außen vor gestanden hatten. Auch um mich legte einer den Arm. Von der anderen Seite umfasste ein Mädchen meine Taille. Ein Anflug von Unwohlsein überkam mich. Unter normalen Umständen widerstrebten mir diese

Gruppentanzereien, doch im nächsten Augenblick war das Gefühl verschwunden, und ich tanzte mit der Gruppe fünf Schritte nach rechts, fünf nach links. Bei der Tänzerin war nun Helene, die jede der akrobatischen Bewegungen imitierte, soweit es ihre Gelenkigkeit zuließ. Josy schüttelte ihre Schultern. Helene schüttelte ihre Schultern. Die Menge johlte. Jule schlug sich auf die Fersen. Helene schlug sich auf die Fersen. Die Menge klatschte. Dann machte Helene es ihr vor, ringsherum, mit vor der Brust verschränkten Armen und rasender Hüfte, und die Tänzerin tat es ihr nach. Wer war hier eigentlich wer? Als sich der Kreis auflöste, tanzte jeder mit dem weiter, den er gerade im Arm hielt. Die einen zu zweit, die nächsten zu fünft.

Ich wandelte von einem zum anderen und wurde überall mit großem Trara empfangen. Inzwischen kannte mich jeder. In der Nähe der Bar touchierte ich Jochen, der dort in einer Runde junger Herren stand. Man reichte mir ein Schnapsglas, und Jochen schlug mir stolz auf den Rücken, laut schwörend, was ich für ein Guter sei, man solle auf mich trinken! Auf mich, das neue Mitglied!

„Wird schon", brummelte ich und trank den nicht mehr ganz kalten Klaren in einem Zug aus.

Die nächste Runde ging auf den alten Hindenburg, der würde es schon richten. Die Herren wankten. Satzteile wehten an mein Ohr.

„Es ist höchste Zeit ..."

Die Herren schwankten.

„... Blick nicht nur nach vorne richten ..."

Sie prosteten mir zu.

„... zu merken, wie die Dinge liegen!"

Nickend drehte ich ab. Auf dem Weg zu den Waschräumen kamen mir zwei tuschelnde Mädchen entgegen. Ich zwinkerte ihnen zu. Sie kicherten. Als ich schon an ihnen vorbei war, drehte ich mich um und erwischte die Blonde dabei, wie sie dasselbe tat.

Im Badezimmer angekommen, schloss ich die Tür hinter mir ab und lehnte mich an die kalten Fliesen. Ohne erkennbaren Grund stolperte ich nach vorne und riss dabei die Seifenschale aus ihrer Halterung. Sie wirbelte über den Rand und fiel gen Boden. Bevor sie aber auf den Steinfliesen zerspringen konnte, fing ich sie mit meiner Schuhspitze auf. Ich hob sie hoch, drehte sie dicht vor den Augen hin und her, konnte aber keine Macke erkennen. Auf dem Verbindungshaus musste man wenigstens nicht aufpassen, dass man etwas kaputtmachte, dachte ich. Dort war alles auf Zerstörung eingestellt und nicht mit viel Liebe ausgesucht und jeder Wasserfleck wegpoliert, sobald er sich abzeichnete.

Als ich mir die Hände wusch, betrachtete ich mich im Spiegel. Vor mir stand einer, dessen Haare wild durchwuschelt waren und in alle Richtungen abstanden. Die Augen leuchteten wie Brennspiegel.

„Das bist du", sagte der im Spiegel und tippte seinen Finger auf die Nasenspitze. Ja, das bin ich, hallo du da, was für ein Tänzer, dibidubida, dem die Mädchen Augen machen. Mit breiten Schultern, ich schüttelte mich, dubidada, trommelte mir auf die Brust. Ein Barbar, der Georg, ach, der ist gut drauf heute, dudelda. Ich hielt inne und schaute meinem Spiegelbild fest in die Augen, halt, nicht wackeln, nicht Doppelbild spielen … da schien der Spiegel in sieben Teile zu zerspringen. Meine Nase zeigte quer nach links. Mein Mund spitzte sich nach rechts. Ich schaute aus wie die Frau auf dem Porträt, aus allen Richtungen widergespiegelt, zerteilt, zerhackt, und sah doch keinen anderen, außer mich. Der Eindruck hielt nur für den Bruchteil einer Sekunde, dann fügte sich alles wieder zusammen. Das Trugbild verschwand. Ich wollte es aufhalten. Ich wollte es noch einmal sehen! Ich wollte mit der Faust gegen den Spiegel schlagen!

Draußen klopfte einer an die Tür.

Ich schwankte.

„Wir sind gleich fertig!", rief ich.

Wir? Wer sollte das bitte sein?

Ob Schwachsinn, ob Wahnsinn oder ein bisschen von beidem, in diesem Moment brach es endlich aus mir heraus. Aus einem anfänglichen Grinsen wurde ein Lachen, das tief aus meinem Bauch emporrollte. Es wurde freier, froher, und erst im letzten Moment, kurz bevor es hysterisch werden konnte, schlug es einen Haken und kugelte sich weit, weit in leiser Fröhlichkeit.

23

Auf der Tanzfläche konnte sich Helene über zu wenig Aufmerksamkeit der Herren nicht beklagen. Doch sie ließ die Blicke an sich abperlen. Sie taten gut. Sie stärkten ihr Selbstbewusstsein, doch sie zählten nicht. Waren ein bisschen wie harmlose Schrotkugeln, die sie einfach abschüttelte. Männer schienen an so einem Abend ihre Geschosse im weiten Umkreis abzuschießen, als reiche es aus, im Nachhinein zu kontrollieren, ob was liegen geblieben war. Helene fand das amüsant zu beobachten. Die Jungs schienen mittlerweile jedes Mädchen schick zu finden, das nicht bei drei auf den Bäumen war. Man konnte allerdings auch nicht behaupten, dass Mädchen nicht ebenso auf der Jagd waren. Aber sie hatten eine andere Technik. Sie schossen gewiss nicht mit Schrot. Mädchen schossen Kugel. Und Helene zielte auf Charles-Édouard. Nur auf Charles-Édouard und sie würde ihn auch kriegen.

Was es auch war, es wirkte. Charles-Édouard blieb in ihrem Radius, ob Helene gerade tanzte oder sich unterhielt. Wann immer sich die Gelegenheit ergab, streichelte er heimlich über ihren Rücken oder umfasste ihre Hüfte. Sie spürte seinen Blick auf ihr ruhen und fühlte sich dem Spiel zwischen ihnen gewachsen, als hätte sie es ihr Leben lang gespielt. Mal zwinkerte sie ihm zu und mal ignorierte sie ihn, wohl wissend, dass sie ihn damit reizte, es ewig weiter so zu treiben.

Mehr tanzend als gehend machte Helene sich irgendwann im Licht der Feuerkörbe auf den Weg zum Badezimmer. Als sie danach durch den

Innenhof zurück in den Saal gehen wollte, fing Charles-Édouard sie am Eingang des Gewölbes ab. Genau wie am Anfang des Abends. Hier waren sie wieder. Charles-Édouard und Helene. Helene und Charles-Édouard. Er lehnte an der Wand, hielt die Arme verschränkt vor seiner Brust und einen Fuß vor dem anderen abgestellt.

„Was machst du denn hier?", fragte Helene.

Charles-Édouard antwortete nicht, sondern nahm ihre Hand und zog sie nah an sich heran, bis ihre Nasenspitzen sich berührten. Aus dem Augenwinkel sah Helene, wie andere Gäste an ihnen vorbeiliefen.

„Nicht hier", flüsterte sie.

Als wäre ein Stichwort gefallen, zog Charles-Édouard sie tiefer ins Dunkel des Gewölbes. Noch im Gehen konnte sie seinen schnellen Atem an ihrer Schläfe spüren. Um die Ecke auf der großen Treppe, die hinauf zur Galerie führte, drückte Charles-Édouard sie an die Wand. Er küsste ihren Hals. Langsam, Kuss für Kuss, wanderte er mit seinen Lippen hoch zu ihrem Ohr, während in ihrem unteren Rücken eine Feuerwerksrakete startete. Er hielt ihre Handgelenke fest und presste sie über ihrem Kopf an die Wand. Sein Blick naschte an ihrem Dekolleté. Er hob den Kopf und küsste sie lange auf den Mund. Erst fest, dann weich, dann fordernd mit spitzer Zunge. Er ließ die Gelenke los und streichelte ihr durchs Haar, legte seine Hände an ihren Nacken und wanderte mit seinen Lippen den Hals hinab. Seine Finger strichen über ihren Busen, über ihren Bauch, wieder über das Dekolleté. Seine Zunge erkundete Helenes Mund und seine Finger begannen, die kleinen Knöpfe der Korsage aus den Ösen zu nesteln.

Helene war sich sicher, dass ihm das nicht gelingen würde, das war schon schwierig, wenn einer hinter ihr stand und es dann versuchte. Doch Charles-Édouard stellte sich geschickt an und löste die Knöpfe, bis er die Träger von den Schultern schob und ihre Brüste frei lagen. Er saugte daran und hinterließ einen feuchten Film auf ihrer Haut. Dann drückte Charles-Édouard sein Becken dicht an Helene und schob sein Knie zwischen ihre Beine. Verwirrt hielt sie die Oberschenkel fest zusammengepresst. Doch er störte sich nicht daran, sondern ließ nur kurz ab, bis er es wieder versuchte. Helene dachte, das wäre ein Spiel, und klemmte sein Knie fest zwischen ihre Muskeln, damit er nicht höher kommen konnte.

Da hörten sie Stimmen. Es war gut möglich, dass sie von weit weg zu ihnen klangen, es nur durch das Gewölbe hallte, doch Helene wurde mit einem Schlag bewusst, dass sie halbnackt auf der Treppe stand. Auf keinen Fall wollte sie, dass jemand sie so sah. Sie erschrak heftig und schob Charles-Édouard von sich weg. Was, wenn nun jemand hier vorbeikam?

Charles-Édouard reagierte schnell. Er hob sie hoch, als wäre sie leicht wie eine Feder, und trug sie die Stufen hinauf. Auf dem zweiten Teil der Treppe waren sie dem Sichtfeld entschwunden. Er legte sie auf den Stufen ab, nun war sie auf Augenhöhe mit seinem Schoß. Sie schaute keck zu ihm hinauf. Er kniete sich über sie und drückte ihren Oberkörper auf die Stufen. Dabei schob er ihr Kleid hoch und begann ihren Oberschenkel zu streicheln. Immer höher wanderten seine Finger. Sie wurde steif wie ein Brett. Doch da war er schon mit seiner Zunge an ihr. Ihr Kopf fiel schmerzhaft auf die Stufenkante. Plötzlich war er wieder über ihr. Er griff nach ihrem Busen, nach ihren Haaren, nach ihrer Hand und legte sie auf seinen Schritt. Neugierig tastete sie sich vor. Da löste er den ersten Knopf seiner Hose. Gebannt schaute sie zu, wie die Wölbung unter dem Stoff immer mehr Raum bekam. Dann legte er sich auf sie. Die harten Kanten drückten im Rücken. Sie hatte das Gefühl, keine Luft mehr zu kriegen. Sie raffte sich auf und rutschte eine Stufe hinauf. Er wollte ihr hinterherkommen, doch sie schob ihn kraftvoll von sich weg.

Daraufhin schaute Charles-Édouard drein wie ein Hund, den man im Regen stehen gelassen hatte. Sie gab ihm einen Kuss. Er gab ihr einen Kuss. Er streichelte ihre Hand, versuchte mit der anderen Hand, ihr das Kleid vom Leib zu schieben. Doch Helene hob ihre Hüfte nicht, damit er es abstreifen konnte. Stattdessen rappelte sie sich auf, den Stoff fest in den Händen haltend, und lief die letzten Stufen hinauf bis zur Galerie.

Hier standen Schränke und Sessel aus den letzten zweihundert Jahren. Nicht alle im besten Zustand, aber doch noch passabel in Schuss. Auf einem Sekretär lagen dicke, vergilbte Bücher. In den Polstern sammelte sich Staub. Helene schlüpfte mit einem Arm in den Träger ihres Kleides und lehnte sich keuchend an einen alten Schrank. Dann trat sie einen Schritt vor, um auf die Tanzfläche zu schauen. Es waren nicht mehr viele Gäste da. Geschätzte zwei Drittel waren bereits schlafen gegangen.

Sie sah Jule an der Bar stehen inmitten mehrerer Herren. Sie schien sich köstlich zu amüsieren. Da fiel Helene ein, dass man sie eventuell von unten sehen konnte. Hastig trat sie einen Schritt zurück, direkt in Charles-Édouards Arme, der eine Hand auf ihren Busen schob. Er bewegte sein Becken eng an ihrem Po. Dann drehte er sie zu sich um und küsste sie scharf. Sie wich zurück, doch er ließ sie nicht los, sondern steuerte sie rückwärts an einen Ort, den sie nicht sehen konnte. Dann spürte sie einen Widerstand in den Kniekehlen und ließ sich auf eine wackelige Chaiselongue sinken. Als er seine Finger wieder in ihren Schoß schob, hätte Helene fast daran Gefallen gefunden. Doch kalter Staub kroch ihr in der Nase. Charles-Édouard leckte über ihren Körper. Wie sehr er sie wollte! Wie sehr er nach ihr verlangte! Sie begehrte wie keine andere! Genau das hatte sie doch erreichen wollen.

Charles-Édouard zog ihr die Unterwäsche aus, hob ihr Bein und schob das Kleid bis zum Bauchnabel hoch. Dann legte er sich mit seinem ganzen Gewicht auf sie. Sie erstarrte. Ihr wurde kalt, doch sie sagte nichts. Sie wollte unbedingt, dass es Charles-Édouard mit ihr gefiel. Sie versuchte, ruhig zu bleiben. Sie spürte, dass sie zitterte. Doch er bemerkte nichts. Er fummelte an seiner Hose und streichelte mit der anderen Hand achtlos über ihr Gesicht, stützte sich sogar darauf ab, als er sein Gewicht verlagerte, sodass sie für einen Moment keine Luft mehr bekam. Doch sie sagte nichts. Kein „Nein!", kein „Stopp!", nichts dergleichen brachte sie über die Lippen. Dann rückte er zu ihr hoch. Es schmerzte. Er versuchte es wieder. Helene drehte den Kopf weg und biss sich auf die Lippen. Wenn sie es so weit hatte kommen lassen, musste sie es auch zu Ende bringen, was sollte er sonst von ihr denken. Mit jedem Versuch tat es mehr weh. Doch sie bat ihn nicht, endlich aufzuhören. Stattdessen kniff sie die Augen zusammen, versuchte an etwas Schönes zu denken. Ließ ihn machen, doch seine Mühe blieb erfolglos.

„Komisch", murmelte Charles-Édouard, als er irgendwann von ihr abließ. Helene regte sich nicht. Er stand auf und kratzte sich nachdenklich am Kinn.

„Das hab ich noch nie erlebt", sagte er.

Helene auch nicht.

Ob sie wieder zu den anderen gehen sollen, fragte Charles-Édouard. Helene antwortete nicht, schaute nicht einmal auf, als er mit ihr sprach.

Er werde nun runtergehen, sagte er und knöpfte sich die Hose zu. Als könne er ihr nun auch nicht mehr helfen, drehte er sich um und ging zur Treppe. Helene lag reglos da.

„Kommst du?"

Keine Reaktion.

Als er endlich weg war, rollte eine dicke Träne über Helenes Gesicht. Sie drehte sich auf die Seite und hielt ihre Knie fest umarmt. Was war sie doch für eine dumme Kuh! Zu nichts zu gebrauchen! Dann wurde ihr Kopf seltsam leer, ihr Blick erkaltete und verharrte stumpf in einem grauen Spinnennetz zwischen den Polstern.

24

Währenddessen auf dem Parkett: Ich trank mit den anderen Schnäpse an der Bar. Ich tanzte. Ich zupfte Jule an der Feder. Ich gab einem Mädchen einen Klaps auf den Po. Das war das neue Spiel auf der Tanzfläche. Sie entrüstete sich, flitzte ein Lied später dann an mir vorbei und gab es mir schallend zurück. Ich wollte sie packen, doch sie rannte davon und lachte mich aus sicherer Entfernung aus. Na warte, ich würde sie noch in die Finger kriegen!

Aus dem Augenwinkel sah ich Charles-Édouard in den Saal schwanken. Der hatte wohl auch einen zu viel getrunken, aber wer hatte das nicht? Neben der Tanzfläche saß einer und schlief im Sitzen, den Kopf auf einer Hand abgestützt. Doch die Hand hielt schlecht, rutschte mehrmals weg. Plötzlich kippte der Schlafende haltlos nach vorn. Mit weitaufgerissenen Augen setzte er sich auf und schüttelte sich wie ein Hund, der vom Baden kam. Dann schloss er erneut die Augen. Dem müsste mal jemand helfen, dachte ich.

Luise nahm mich zur Seite. Ob wir langsam Schluss machen sollten?

Ich schüttelte den Kopf.

„Noch nicht! Die Stimmung ist doch bestens."

Luise sah mich nachdenklich an.

„Eine halbe Stunde kann ich noch durchhalten, aber nicht länger."

Ich nickte.

„Wir dürfen nicht vergessen, die Kerzen auszublasen!"

Ich nickte.

„Wenigstens die Gläser auf dem Buffet zusammenstellen!"

Ich nickte.

„Und die Aschenbecher!"

Ich nickte.

„Hörst du mir überhaupt zu?"

Ich nickte.

„Weißt du, wo Helene ist?"

„Nein", antwortete ich. „Die hab ich schon länger nicht gesehen."

„Ob sie schon ins Bett gegangen ist?"

Luise schaute sich um. Jule saß gerade am Klavier und stimmte ein langsames Lied auf Französisch an. Das Saxophon unterstrich die Melodie mit viel Moll. Paare tanzten eng umschlungen. Schwer vorstellbar, dass Helene schon gegangen war. Theresa war schließlich auch noch da und schmiegte sich an ihren Tänzer, ausgerechnet Axel, der sie in seinem Arm hin und her wiegte. Auf der anderen Seite des Saals schnipste ein Gast achtlos seine abgebrannte Zigarette auf den Boden. Als hätte Luise etwas gestochen, rauschte sie auf ihn zu, hob die noch rauchende Kippe vom Boden auf und hielt sie ihm wutschnaubend vor die Nase. Ich schmunzelte über meine Schwester, aber sie hatte vollkommen recht. Die Leute wurden immer nachlässiger. Rotweinflecken auf der Tischdecke, umgeworfene Aschenbecher, die Asche achtlos liegen gelassen. Morgen würde es ein Donnerwetter von den Eltern geben, das war mir klar, aber das würden wir drei schon zusammen durchstehen. Wir drei? Wo war Helene?

Ich ging zu Theresa und fragte sie, ob sie wisse, wo Helene sei. Doch Theresa zuckte nur mit den Schultern und ließ müde ihren Kopf an Axels

Schulter sinken. Dann fragte ich Charles-Édouard nach Helene. Immerhin war er ja den ganzen Abend in ihrer Nähe gewesen. Doch der zuckte ebenfalls nur die Achseln und wankte von dannen. Helene war doch nicht, ohne ein Wort zu sagen, verschwunden? Das passte so gar nicht zu ihr.

Als ich die Außentreppe hinablief und keine Helene fand …, als ich in den Park schaute, einmal nach links und einmal nach rechts …, als ich beschloss, die kleine Runde abzugehen …, als die Luft nach dünnem Nebel schmeckte …, als die Vögel in den Baumkronen zwitscherten …, als die Sonne am Horizont ihr erstes Glühen über den Himmel schickte …, da kam es mir so vor, als stecke ich – zwischen der Zeit – in einem Raum, der weder im Heute, noch schon im Morgen lag.

Ich kickte einen Kieselstein vor mir her, pfiff Jules Melodie und rief nach meiner Schwester. In der Laube störte ich ein Pärchen auf. Doch es war ein anderes Mädchen und nicht Helene. Bei der nächsten Parkbank sammelte ich eine Weinflasche und zwei Gläser ein. Die Flasche war noch zur Hälfte voll. Ich trank einen Schluck daraus und dachte angestrengt nach, wo sie wohl sein könnte. Helene hatte sich doch nicht noch tiefer in den Park verkrochen? Da ich mir das nicht vorstellen konnte, kehrte ich um. Auf der Tanzfläche waren gerade noch fünfzehn Gäste übrig. Die allerdings veranstalteten ein Schauspiel erster Güte: Jule saß hoch oben auf den Schultern zweier Herren und ließ sich, wie in einer Manege, durch den Saal tragen. Als sie an mir vorbeischwebte, bog sie sich rücklings über die Schultern, wie eine warme Kerze, und rief mir zu:

„Und das alles ohne Lustbarkeitssteuer, was will man mehr?"

153

Sogar Luise nahm einer hoch. Allerdings wirkte die darüber keineswegs so glücklich wie Jule. Ich suchte weiter nach Helene, doch ich fand sie nicht. Jetzt könnte sie nur noch oben auf der Galerie sein. Aber was könnte sie dort wollen, wenn doch hier unten das Fest des Jahrhunderts stattfand? Ich nahm den kurzen Weg über die Wendeltreppe, wobei ich in meinem alkoholisierten Zustand fast eine Stufe verpasst hätte und wieder heruntergesegelt wäre. Als ich dann aber oben auf der Empore ankam, war ich mit einem Schlag nüchtern.

„Helene! Himmel, Herrgott, was ist passiert?", rief ich erschrocken. Ich rannte zu meiner Schwester, die zusammengekauert auf der alten Chaiselongue lag: ihr Rücken frei, das Kleid weit übers Knie hinaufgeschoben.

„Helene!" Ich kniete mich zu ihr nieder. „Was ist los?

Aber Helene wollte nicht reden. Ihr Gesicht war tränenverschmiert, die Augen grau. Ich strich ihr übers Haar und über die Schultern.

„Willst du mir nicht sagen, was passiert ist?"

Sie schüttelte den Kopf. Immerhin legte sie ihren Arm um meinen Hals und ließ zu, dass ich sie aufrichten konnte.

„Ich hab dich schon überall gesucht. Warst du die ganze Zeit hier oben?"

Helene nickte und rieb sich mit dem Handrücken über die Nase. Ich zog mein Einstecktuch aus der Tasche und wischte ihr die verlaufene Schminke aus dem Gesicht. Doch meine liebevollen Geste schienen alles nur noch schlimmer zu machen. Nun wurde Helene von einem heftigen Weinkrampf geschüttelt. Ich hielt ihre Hand, wobei ich in meiner Hilflosigkeit mehr darauf herumklopfte, als sie tröstend zu streicheln.

„Soll ich Theresa holen?"

Helene ließ meine Hand los und wollte sich wieder auf die Chaiselongue fallen lassen. Das ließ ich nicht zu, sondern hielt sie fest in meinen Armen. Nach einer Weile wurde das Weinen etwas weniger. Sie hob den Kopf und sah mich an.

„Ich ruiniere dir den Frack", meinte sie und putzte sich geräuschvoll die Nase.

„Das macht doch nichts. Aber soll ich nicht doch lieber Luise holen?"

Nein, Luise wollte sie genauso wenig sehen wie Theresa. Sie schlug meinen Arm weg. Als sie wieder ruhig atmete, schlug ich vor, erst mal ihr Kleid wieder richtig anzuziehen, und bot an, ihr dabei zu helfen. Die Korsage zu schließen, war gar nicht so leicht, vor allem nicht in der halb liegenden Position, in der Helene sich befand.

„Komm, steh mal auf! Sonst komme ich hier gar nicht voran."

Helene schaute ängstlich hinüber in Richtung Balustrade.

„Glaub mir, hier sieht dich niemand", sagte ich, und gab mir größte Mühe, mit dem Korsett zurechtzukommen. Helene zeigte zur Treppe.

„Die Schleife fehlt noch."

Gewiss, die Schleife, sofort! Ich holte sie und band sie Helene um. Während ich damit beschäftigt war, meine Schwester wieder einigermaßen präsentabel zu machen, fragte ich mich im Stillen, warum Helene nicht sagen wollte, was passiert war. Dann aber, als ich meine Schwester zu mir umdrehte, gab mir eine Cotillonnadel in Helenes Dekolleté einen unmissverständlichen Hinweis. Hier war ein Mann im Spiel und das konnte nur einer gewesen sein.

„Wäre es nicht das Beste, du gehst sofort ins Bett?", schlug ich vor und bemühte mich, einen ruhigen Tonfall zu bewahren. Aber Helene schüttelte den Kopf und wollte wissen, wie sie aussah.

„Nicht besser als die Hanseln da unten", sagte ich, „aber auch nicht schlechter."

Ein verzagtes, aber immerhin ein Lächeln huschte über Helenes Gesicht. Dann wandte sie sich zum Gehen. Langsam stiegen wir die Wendeltreppe hinab, wobei ich ihre Hand halten musste. Auf den letzten Stufen sackte Helene in sich zusammen und begann wieder zu weinen.

„Ich schaffe das nicht", schluchzte sie.

Ich schlug vor, dass wir umdrehen und obenherum gehen sollten. Dann würde uns niemand sehen. Doch Helene antwortete nicht, sondern drückte sich mein Taschentuch auf die Augen und konnte nicht aufhören zu weinen. Ratlos stand ich vor meiner Schwester.

„Ich hole jetzt Luise", erklärte ich. „Die wird dir helfen können."

Helene nickte zaghaft und schluckte eine Träne von ihrer Lippe.

„Du wartest hier und bewegst dich nicht von der Stelle!", kommandierte ich. „Ich bin gleich wieder zurück."

Dann jagte ich mit großen Schritten auf Luise zu, die gerade leere Gläser auf einem Tablett zusammenstellte.

„Luise! Du musst sofort mitkommen!"

Im ersten Moment wirkte Luise verärgert über die Unterbrechung. Sie war die Einzige, die hier ans Aufräumen dachte. Dann aber las sie in meinem

Gesicht vom Ernst der Lage und folgte mir. Auf der Wendeltreppe angekommen, richtete Luise unsere weinende Schwester mit gekonnten Handgriffen wieder auf und sprach ihr gut zu. Ich war beruhigt, ich hatte das Richtige getan. Luise wies mich an, ein Glas Wasser zu holen. Ich nickte, lief zur Bar und ließ mir eines geben. Dann, als ich schon auf dem Weg zurück zur Wendeltreppe war, sah ich Charles-Édouard bedenkenlos tanzend mit Theresa und Jule. Dieser Bastard!

Im nächsten Moment landete das Wasser aus meinem Glas in seinem Gesicht. Die Mädchen kreischten. Charles-Édouard trocknete sich mit seinem Einstecktuch seine Wangen ab. Dann versuchte er, mir seinen Arm um die Schultern zu zwingen.

„Nicht so stürmisch, Kleiner!"

Ich schlug ihn weg.

„Helene", stieß ich hervor.

„Ach das!" Charles-Édouard zuckte die Schultern. „Das wirst du auch noch lernen: An Blüten muss man naschen, solange sie offenstehen."

Da führte meine Hand zum ersten Mal seit langem aus, was ich im selben Moment noch gedacht hatte. Sie ballte sich zur Faust und fuhr mit aller Wucht in Charles-Édouards Gesicht. Blut spritzte. Charles-Édouard taumelte zurück.

„Hast du sie noch alle?", schrie er.

Ich versetzte ihm einen harten Tritt in die Seite und Charles-Édouard fiel zu Boden. Ich keuchte vor Wut, beugte mich über den Wicht und fixierte ihn wie einen Feind auf dem Schlachtfeld. Die Musik hatte aufgehört zu spielen. Alles starrte auf die Prügelei. Ein Musiker kam auf mich zu, wollte sich einmischen, doch ich hielt ihm warnend meinen Zeigefinger entgegen, pass auf! Das reichte. Der Musiker blieb auf Abstand und hob die Hände.

Da sah ich auf und entdeckte vor mir meine beiden Schwestern. Helene wirkte fassungslos, wie erstarrt, sie krallte sich in den Arm der Schwester. Luise aber nickte mir zu …, sauber gemacht!

25

Nach vier Stunden Schlaf wachte ich in meinem Bett auf und konnte mich an keinen vergleichbaren Morgen erinnern. Es war mir damals zur Gewohnheit geworden, beim Aufwachen, selbst bei schönstem Sonnenschein, mich stur im Bett zur Wand zu drehen, die Augen zusammenzukneifen, als könnte ich so dem Leben verbieten, mich in seinen weiteren Verlauf zu zwingen.

Heute aber trug mich meine Euphorie wie von selbst aus den Kissen. In meinem Kopf lief ein Film an, der den Abend, wenn auch lückenhaft, rückwärts abspulte, als gäbe es kein Dazwischen. Ich hatte mich geprügelt, nein anders, ich hatte dem Charles-Édouard eine verpasst, volle Kraft, ein Schlag und raus, – doch sollte es mich wundern? Beim Fechten war ich immerhin einer der Besten. Die Füchse der anderen Corps hatten Respekt vor einer Partie gegen mich und die älteren Semester schlossen Wetten auf mich ab. Warum fühlte ich mich eigentlich trotzdem immer so schwach? Ich sollte dringend aufhören, mich so elendig durchs Leben zu schleppen! Auf dem Weg zum Waschbecken schoss mir die Tänzerin durch den Kopf; wie sie hoch oben auf Schultern durch den Saal getragen wurde – und Luise hinterher, die dabei ziemlich gequält dreinschaute.

Was war das nur für eine Nacht gewesen? Ich blickte in den Spiegel: blutunterlaufene Augen, angeschwollene Lider. Um den schauderhaften Geschmack einer toten Katze im Mund loszuwerden, rieb ich die doppelte Portion Zahnpulver auf meine Bürste und schrubbte nicht nur meine Zähne, sondern auch meine Zunge. Das half, genau wie das große Glas Wasser, das ich danach hinunterstürzte. Ich wusch mein Gesicht und läutete nach dem Kammerdiener. Plötzlich sah ich Helene vor mir, entblößt auf der Chaiselongue kauernd. Dass mein Kammerdiener, Herr Brelow, inzwischen eingetreten war, bemerkte ich indes kaum.

„Helene schläft jetzt", hatte Luise mir zuletzt auf dem Flur zugeflüstert und ihren Finger auf den Mund gelegt, damit ich leise war.

Brelow räusperte sich.

„Seine Erlaucht wünschen?"

Ich schaute auf und wunderte mich über Brelows plötzliche Anwesenheit. Nur langsam wurde mir bewusst: Es lag an mir, etwas zu sagen.

„Was rätst du, Brelow, soll ich zum Frühstück anziehen?"

Brelow wusste immer, welche Garderobe angemessen war. Er selbst war nämlich ziemlich eitel, pflegte seine Figur durch regelmäßige Sportübungen und sah tatsächlich für sein Alter noch recht jung aus. Auf seiner eindrucksvollen Nase trug er eine Brille mit kreisrunden Gläsern, darunter einen schmalen Oberlippenbart. Zu dem Schnäuzer hatte Brelow sich erst vor zwei Jahren durchringen können und dafür seinen kaiserlichen Backenbart abrasiert. Zunächst hatte Brelow diesen Schritt furchtbar bereut. Doch dann war auch er der schmeichelnden Wirkung erlegen, mit der die neue Frische im Gesicht jede altersbedingte Nähe zu Tod und Vergänglichkeit verdrängte. Allerdings sollte der Bart Brelows einziges Zugeständnis an die Sitten der Gegenwart bleiben.

„Ich würde zu dem braunen Anzug mit der karierten Weste raten", näselte er.

„Schlips?", fragte ich.

Brelow nickte und zog aus meinem Schrank einen hellbraunen Anzug, die grüngelb karierte Weste und ein weißes Hemd.

„Das muss noch geplättet werden", befand Brelow und strich den Stoff glatt. „Ich werde es sogleich veranlassen. Wünscht der Graf zu baden? Das Wasser ist bereits aufgeheizt."

„Gute Idee", sagte ich und entließ ihn, nachdem Brelow mich nach weiteren Wünschen gefragt hatte, doch ich brauchte sonst nichts. Erst als Brelow schon fast aus der Tür war, fiel mir doch etwas ein.

„Eine Karaffe Wasser, bitte."

Sofort drehte Brelow sich um und erkundigte sich, ob mit oder ob ohne Zitrone.

Keine halbe Stunde später wanderte mein Blick im Spiegel von den polierten Schuhen englischen Typs hinauf über die Bügelfalte bis zur Jackentasche, in der Brelow das Einstecktuch zurechtzupfte. Mein Haar war mit viel Frisiercrème zurückgekämmt und die Kante meines Schnäuzers mit der Nagelschere begradigt. Ich musste mich über mich selbst wundern. Vor dem Hauptereignis hatte ich längst nicht so viel Aufwand für mein Äußeres betrieben wie nun für das Frühstück. Ob ich überhaupt in den Spiegel geschaut hatte, bevor ich am Abend zuvor zum Empfang gegangen war?

Der Spiegel!? Oh oh! Nun fiel mir ein, wie mir in der Nacht beinahe die Seifenschale kaputtgegangen war, und ich, ich räusperte mich, mit meinem Spiegelbild Selbstgespräche geführt hatte, die mir wie ein Moment großer Klarheit vorgekommen waren. Was hatte ich dem Wartenden vor der Tür zugerufen? „Wir kommen gleich!" Wir kommen gleich? Bei mir piepte es wohl.

„Nun soll es man gut sein", entschied Brelow und strich mir zum Abschluss über die Anzugjacke.

26

An diesem Morgen wurde das Frühstück im Sommersalon serviert. Früher hatte der Sommersalon noch Wintergarten geheißen. Da sich hier aber kein Kachelofen gegen die frostigen Temperaturen durchsetzen konnte, blieb der Salon in der kalten Jahreszeit geschlossen. Man legte sogar Decken vor den Türspalt, damit die Kälte nicht durchziehen konnte.

Heute hatte die Sonne den Raum so stark aufgewärmt, dass jedes noch so seichte Lüftchen eine Erfrischung mit sich brachte. Die Türen standen weit offen und gaben den Blick frei auf die Terrasse und die angrenzenden Blumenbeete, in denen fleißige Bienen summend und brummend an einer Blüte nach der anderen naschten. Mein Vater thronte am Kopf der eingedeckten Frühstückstafel. Neben ihm saß meine Mutter. Entlang des Tisches folgten links und rechts die Gäste, die mir in ihren frischen Kleidern und streng gescheitelten Frisuren furchtbar sauber vorkamen. Mehr als die Hälfte der Plätze war noch nicht besetzt. Man schlief heute länger als üblich. Neben meinem Vater saß Jochen. Sie diskutierten. Worüber konnte ich nicht verstehen. Konnte es mir nur denken. Neben mir wurde der Teewagen vorbeigeschoben. Man bot mir Tee an. Ich nahm die Untertasse entgegen. Dabei stellte ich peinlich berührt fest, dass meine Hände tattrig zitterten. Rasch setzte ich mich neben Jochen und stellte meine Tasse neben das bauchige Kristallglas für wahlweise Orangen- oder Pampelmusensaft. Mit halbem Ohr hörte ich der Diskussion zu. Sie drehte sich um den Ausweg aus der Wirtschaftskrise, woran Jochen ein Plädoyer für eine starke Ständegesellschaft knüpfen wollte. Aber Vater brachte dafür keine Geduld auf. Er unterbrach ihn und rief:

„Georg, du bist ja auch schon wach!"

Über die direkte Ansprache erschrocken, fiel mir der Gutsschinken von der Serviergabel und landete auf dem Tischtuch. Mein Vater achtete nicht darauf, sondern schnipste mit seinen rosarot gepunkteten Hosenträgern.

„Ging es gestern noch lange?", fragte er munter.

Es entging mir nicht, dass er dafür von meiner Mutter einen Tritt unterm Tisch kassierte, die vermutlich nicht noch betont haben wollte, dass die Eltern ihre Aufsichtspflicht verletzt hatten. Als ich erst zu einer Antwort ansetzen wollte, dann aber nicht wusste, was ich sagen sollte, rettete mich Jochen, indem er sein Lieblingsthema anprach: das Dritte Reich. Dabei erkundigte er sich, wie Vater zu einem gewissen Autor Moeller van den Bruck stehe, er habe dessen Buch geradezu verschlungen.

„Was ich vom Selbstmörder van den Bruck halte, möchten Sie wissen?"

Jochen entglitt die Mimik. Er schien nicht gewusst zu haben, dass sein geistiges Vorbild ein Selbstmörder war. Doch er versuchte, sich nicht aus dem Konzept bringen zu lassen.

„Mich begeistert dieses Werk. Er spricht mir damit wie aus dem Herzen."

„Ja, ich hab's gelesen", brummte Vater.

Jochen schien darüber seltsam beruhigt. Dann aber flackerten Vaters Nasenflügel, als würde er etwas wittern.

„Bevor ich mich aber mit Ihnen über solche Randthesen unterhalte, sollten Sie Oswald Spengler gelesen haben."

Jochen verstummte.

„Hat einer der Herren Spengler gelesen?", fragte Vater in die Runde. Spontane Meldungen blieben aus. Genüsslich trank er einen Schluck Tee, dann stand er auf und zitierte wie ein Schauspieler auf der Bühne, noch mit der Tasse in der hohlen Hand:

„Jeder, der über die Grundformen der Geschichte ausreichend nachgedacht hat, erkennt, dass die mystische Dreizahl der Weltalter für den metaphysischen Geschmack etwas Verführerisches hat."

Alle starrten den Hausherrn an. Für einen Moment herrschte eine gespannte Stille, die nur meine Mutter zu unterbrechen vermochte, indem sie im harmlosen Plauderton von Grüßen sprach, die einer unserer entfernten Vettern seiner Mutter ausrichten sollte. Flugs initiierten auch die anderen an der Tafel neue Gespräche, um die Situation zu überspielen; was allen gut gelang, außer mir. Ich ärgerte mich über meinen Vaters, weil er immer so tat, als könnte seine Bildung ihn erhaben machen. Immer wich er auf seine Philosophen aus, statt einmal eine klare Antwort zu geben. Und immer dieser Spengler. Immer argumentierte er mit diesem ideengeschichtlichen Wälzer, den man eigentlich nur vorm Kamin im Ohrensessel lesen konnte, an einem Tag mit viel Regen und Sturm. Herbstlektüre. Winterbuch. So passte es zum Untergang des Abendlandes.

Heute dagegen war es heiß.

Minuten später sagte ich mit auffällig lauter, wenn auch heiserer Stimme:

„Spengler ist mir zu wirr."

Oswald Spengler war zwar nicht mehr Thema der Runde, doch Vater horchte sofort auf und sah mich erwartungsvoll an. Mehr sagte ich dazu allerdings nicht.

„Zu wirr", wiederholte Jochen, „da fällt mir doch glatt noch etwas Wirres ein …, Graf Plasbalg, ich habe gestern unter Ihren Kunstschätzen gewisse Kuriositäten entdeckt. Wo kriegt man denn so etwas her?"

Vater wollte wissen, von welchem Bild Jochen sprach.

„*En détail* sollte man so etwas in offener Runde nicht besprechen, lieber Graf Plasbalg", sagte Jochen mit gehöriger Süffisanz.

Schnell kombinierte Vater eins und eins.

„Sie meinen nicht etwa den kubistischen Frauenakt?"

„Das sollte ein Frauenakt sein?", spöttelte Jochen. „Dann meine ich wohl denselbigen."

„Ja, und?", fragte Vater aufgebracht und schien in seiner Erregung zu vergessen, dass genau dieses Bild zurzeit als verschollen galt. „Was denken Sie darüber?"

„Naja", sagte Jochen und griff zu einer starken These: „Das erscheint mir alles ein bisschen verrückt."

„Verrückt? Was sind Sie doch für ein Dilettant! Diese Komposition ist nicht wirr oder verrückt, – sie ist tief gereift."

Dafür kassierte Vater den zweiten Tritt unterm Tisch und ich war, wie Mutter vermutlich auch, froh, dass Luise nicht Zeuge dieser Szene werden musste.

„Mag sein, dass ich von dieser Art Kunst nicht viel verstehe", erwiderte Jochen. „Ich will damit aber auch nichts zu tun haben. Ich wehre mich dagegen. Von diesem Bild geht ein zersetzender Geist aus: eine Beleidigung an die Menschheit."

Jetzt bekam Vater rote Flecken am Hals.

„Sie haben nichts verstanden, gar nichts! Dieses Bild ist das Werk eines Genies! Begreifen Sie das denn nicht? Oder sind Sie dafür noch zu jung?"

„Mit meinem Alter hat das weniger zu tun, als mit meiner Perspektive, die sich auf das Ganze richtet."

Jetzt sprang Vater ihn an wie ein Raubtier seine Beute.

„Dann erklären Sie mir bitte, was das also ist, dieses Ganze, das Sie da ach so genau im Auge haben?"

Jochen, der nun unter Druck geriet, verhaspelte sich in schwachen Phrasen. Plötzlich kam mir eine passende Antwort. Sekundenschnell formulierte ich sie im Kopf und sprach dann meinen Gedanken mit einem Selbstbewusstsein aus, als wäre er druckreif:

„Das Ganze ist das Ganze, weil es Alles einbezieht und nicht nur einzelne Teile. Damit ist das Ganze schon mal keiner dieser liberalen Taschenspielertricks."

Jochen nickte. Ich triumphierte und fühlte mich mit einem Mal wunderbar vollständig, als wäre ich über Nacht zum Mann gereift.

27

Als Charles-Édouard an diesem Morgen aufwachte, lag ein Mädchen in seinem Arm und schlief. Ihr Haar kitzelte ihn und roch nach kalter Asche. Er schob es beiseite, schlug die Augen auf, hob den Kopf und schaute an sich runter. Er trug noch seine Frackhose und Schuhe. Das Mädchen hatte nur ein dünnes Hemdchen an, das ihr knapp bis ans Bein heranreichte. Er streichelte kurz ihren Oberschenkel und sah sich im Zimmer um, als er den Schmerz in seinem Gesicht spürte. Er schob das Mädchen von sich weg. Sie grunzte leise und drehte sich um, ohne dabei aufzuwachen. Dann betastete er seinen Wangenknochen, was weh tat wie ein blauer Fleck.

"Du ahnst es nicht", dachte Charles-Édouard, "der kleine Plasbalg hat mir doch nicht etwa ein Veilchen verpasst?"

Er sprang auf und wollte sich im Spiegel angucken. Da schob sich ein Vorhang aus grellen Sternchen vor seinen Blick. Ihm war, als schlüge ihm jemand mit einem Hammer auf den Kopf. Er musste sich mit beiden Händen am Bettkasten abstützen, um nicht umzufallen. Er atmete schnell, versuchte ruhig zu bleiben, es würde gleich vorbeigehen. Der grelle Bogen verschwand tatsächlich, zurück blieb nur ein dumpfer Schmerz im Hinterkopf. Hatte es ihn so schwer erwischt? Kam das alles von nur einem Schlag? Bisher war Charles-Édouard nur einmal in eine Prügelei geraten. Damals hatte er aber so gut wie nichts abgekriegt, der andere auch nicht, es war eher ein Gerangel und Geschubse gewesen, bei dem kein

Schlag gesessen hatte. Dieser Schlag aber hatte genau gesessen. Charles-Édouard stöhnte. Ein blaues Auge konnte er jetzt gar nicht gut gebrauchen. Er wollte einen Spiegel, sofort!

„Was machst du denn da?", fragte das Mädchen. Sie hielt sich mit der einen Hand das Bettlaken vor den Busen, mit der anderen wuschelte sie durch ihre Haare. Dann pustete sie einen Fussel von ihrer Schulter und betrachtete ihren nackten Oberarm.

„Hast du einen Spiegel?", fragte Charles-Édouard.

Sie schaute sich um.

„Nicht hier. Aber oben bei meinen Sachen in Helenes Zimmer."

Charles-Édouard brach innerlich zusammen. Helenes Zimmer war das Letzte, wo er jetzt sein wollte. Nun wusste er auch nicht weiter.

„Komm noch mal her", gurrte die Liebhaberin. Er sprang mit den Knien auf die Matratze und ließ sich von ihr in die Kissen ziehen, als jemand zaghaft an die Tür klopfte. Sie schauten sich erstaunt an. Es klopfte wieder, diesmal lauter.

„Herr Münchheimer?"

Er sagte nichts. Hielt den Finger vor den Mund, psst.

„Herr Münchheimer, sind Sie da?"

Die Klinke bewegte sich.

„Ja, ich bin hier", sagte Charles-Édouard. „Machen Sie die Tür wieder zu!"

Sein Befehl wurde ausgeführt, der Spalt schloss sich.

„Herr Münchheimer", sagte die Stimme. „Ich muss Sie leider bitten, umgehend das Zimmer zu räumen."

Er lachte. „Warum das denn? Brennt das Haus?"

169

„Die werte Comtesse Luise schickt nach Ihnen."

Au backe, dachte er und überlegte, wie er Zeit gewinnen könnte.

„Hat sie gesagt, wo wir uns treffen sollen?"

Das wusste die Stimme nicht und versprach wiederzukommen, sobald sie mehr erfahren hatte. Nun wurde Charles-Édouard hektisch.

„Jetzt aber schnell! Ich wasch mich und du machst das Bett. Dann sieht es so aus, als wärst du gerade erst gekommen."

„Jetzt sofort?", maulte sie.

„Natürlich jetzt sofort! Was fragst du da noch lange?"

Er scheuchte sie aus dem Bettkasten wie ein Bauer seine Hühner. Praktisch veranlagt, entschied das Mädchen, dass zuerst einmal gelüftet werden musste. Sie versuchte das Fenster zu öffnen, was sich als nicht ganz einfach herausstellte, denn der alte Holzrahmen war an seiner unteren Kante, oben, und auch an der Seite einzeln zu verriegeln. Sie mühte sich ab, das System zu verstehen. Endlich krachte es und beide Fensterflügel klappten nach außen auf. Sie schob einen Haken links und einen rechts, jeden in seine Öse. Von hier aus konnte sie von der Seite aus in den Park schauen. Direkt vor dem Fenster begann eine runde Terrasse aus roten Backsteinen, darauf stand eine Sonnenliege, als würde sie nur darauf warten, dass einer sich auf ihr ausstreckte, um den blaugelben Sommertag zu genießen.

„Schau mal!", rief sie. „Ist das nicht schön hier?"

Sie zeigte auf die Liege.

„Kommen wir von hier aus irgendwie auf die Terrasse?"

Charles-Édouard fand ihre Idee nicht schlecht. So könnte man sie unbemerkt rausschleusen. Sie zog sich ihr Kostüm vom vorherigen Abend an.

„Das geht nicht!", fuhr er sie an. „Zieh dir was Ordentliches an!"

„Wie denn?", blökte sie zurück. „Meine Sachen sind doch oben, Blödmann."

Er riss die Schränke auf. Im ersten lagen Laken und Bezüge. Der nächste Schrank war voller Bücher. Erst beim dritten hatte er Glück. Hier hingen die alten Ammenkleider.

„Zieh das an!", kommandierte er und schmiss ihr eines zu.

Zweifelnd schaute sie sich das altmodische Gewand an: „Meinst du das ernst?"

„Ja, meine ich. Jetzt mach schon!"

Sie zog das Kleid über, in dem sie aussah wie eine Bäuerin aus dem Dorf, in dem sie aufgewachsen war.

„Wie sehe ich aus?", fragte sie.

Doch er hatte dafür jetzt keine Zeit. Er kämmte sich die Haare mit Wasser streng nach hinten und ärgerte sich lautstark darüber, dass es hier keinen Spiegel gab. Da war sie mit ihm vollkommen einer Meinung, den hätte sie selbst auch gut brauchen können. Sie musste vollkommen derangiert aussehen.

„Lass mich auch mal", sagte sie und drängelte sich neben ihn an das Waschbecken.

„Oh…, echter Marmor!"

Ehrfürchtig streichelte sie über den Stein. Sie konnte echten Marmor erkennen, falschen kannte sie zur Genüge. Jedes halbwegs erfolgreiche Haus dekorierte sich mittlerweile die Front damit. Echten Marmor hatte sie bisher nur in Charles-Édouards Stadtwohnung gesehen, im dortigen

Badezimmer und auch im Treppenhaus, durch das man nachts wankte, um oben mit allen zusammen noch einen letzten Drink zu nehmen, einen noch oder auch zwei.

Da klopfte es zum zweiten Mal.

„Was ist denn jetzt schon wieder?", schrie Charles-Édouard und warf wütend seine Jacke in den Koffer.

„Herr Münchheimer", kam es zaghaft zurück.

„Jetzt nicht! Kommen Sie später wieder!"

Man entfernte sich. Charles-Édouard schaute sich um. Es sah schon recht ordentlich aus, auch das Bett war gemacht, nur eine Sache störte.

„Du musst dich verstecken, bis ich wiederkomme. Du bleibst im Schrank oder unterm Bett und machst keinen Mucks, hörst du?"

„Ich wollte doch aus dem Fenster klettern", erinnerte sie ihn und dachte an die Sonnenliege.

„Dann mach das, aber schnell!"

Flugs schwang sie ein Bein hoch und stellte den Fuß auf die Fensterbank. Wie eine Katze vorm Sprung verharrte sie, hielt dabei ihren Rock gerafft in einer Hand.

„Wann sehen wir uns wieder?"

Als sie gerade noch überlegte, wie sie den Sprung gute anderthalb Meter in die Tiefe am besten meistern sollte, kamen die Schritte zurück. Diesmal aber waren es viele, so viele, dass sie ein lautes Getrappel zustande brachten. Die Tür flog auf. Kammerdiener Brelow trat ein und stellte sich sogleich neben den Türrahmen. Dann fegte Luise wie ein Kommissar mit Haftbefehl ins Zimmer, gefolgt von einem schüchternen Dienstmädchen. Charles-Édouard, um Haltung bemüht, räusperte sich.

„Ja bitte?"

„Was ist hier los?", fuhr Luise ihn an.

Charles-Édouard konnte sich nur schlecht erklären, während Jule von der Fensterbank wieder ins Zimmer rutschte. Luise neigte ihren Kopf nach vorne, als gäbe es auf ihrer Stirn ein Horn, das sie ihrem Gegner in den Bauch rammen könnte.

„Was macht diese Person in Gustas altem Kleid?"

Charles-Édouard stand still.

„Alle verlassen das Zimmer, und Sie, Herr Münchheimer, bleiben als Einziger hier!"

Auf ihren Appell hin setzten sich alle in Bewegung, auch Jule, die sich für ihre zerzausten Haaren schämte, als sie an Luise vorbeilief. Die Tür schloss sich.

„Ich muss Sie bitten, Plasbalg auf der Stelle zu verlassen. Sie verstehen sicher, dass Sie hier nicht mehr erwünscht sind."

Charles-Édouard starrte Luise an und konnte spüren, wie ein Skandal sich anbahnte: *Charles-Édouard Münchheimer des Schlosses verwiesen!* Er versuchte es mit seinem Charme, der ihm schon aus manchem Engpass geholfen hatte.

„Liebste Luise, was hast du denn? Wir können doch über alles reden."

Luise regte sich nicht.

„Ich bitte dich, meine Liebste", versuchte er es wieder. „Du musst eines bedenken: Die Medaille hat immer zwei Seiten."

Luise schnappte entrüstet nach Luft, mit welcher Dreistigkeit er wagte, ihr gegenüberzustehen.

„Verlass Plasbalg auf der Stelle", fauchte sie, „und komm nie wieder!"

Sie hob seinen erst halb gepackten Koffer hoch und schmiss ihn an seine Brust:

„In drei Minuten bist du hier raus!"

Damit verließ sie das Zimmer und überließ ihn seiner stummen Entrüstung.

28

Währenddessen kam und kam Helene nicht aus der Badewanne. Sie fühlte sich schmutzig, elendig und schrecklich schwach. Vor einer halben Stunde war Luise bei ihr gewesen. Die Schwester hatte sich auf den Rand der Wanne gesetzt, ihr über den Kopf gestreichelt und versucht zu erfahren, was eigentlich genau passiert war. Als Helene anfangen wollte zu erzählen, begann ihre Unterlippe so stark zu zittern, dass sie nicht weit kamen. Luise konnte aus dem Gestammel nur Bruchstücke verstehen. Etwas war beim Fackelzug geschehen und auch im Gewölbe, wobei Luise sich nicht sicher war, ob die Geschichte im Gewölbe am Anfang des Abends oder am Ende passiert war. Letztendlich wollte Luise nur eines wissen: ob Helene und Charles-Édouard *es* getan hatten. Helene hatte genickt, hatte „ja" gesagt und noch ein „aber" dranhängen wollen, doch Luise hatte genug gehört. „Dieser elende Hund", hatte sie geknurrt und war aus dem Zimmer gelaufen. Daraufhin war Helene ein Stein vom Herzen gefallen. Sie hätte jetzt keine Vorwürfe aushalten können. Die machte sie sich selbst schon zur Genüge.

Während sie so im Wasser saß, das langsam kühler wurde, wandelte sie ihr Körper in eine trübe Figur, die bewegungslos auf das buntschillernde Badeöl starrte. Ihr Geist versuchte alles auszuschließen, was nichts mit dem Regenbogen in ihrer Wanne zu tun hatte. Doch das Manöver gelang nicht gut und die Gedanken kreisten weiter um dieselben Fragen: Wie hatte es so weit kommen können? Hatte sie sich etwa nur eingebildet, dass er sie gerne mochte? Konnte alles nur Trugschluss sein, wenn ihre Blicke doch Funken sprühten, sobald sie einander begegneten? Erst war es doch wundersam einfach gewesen. Sie hatten gelacht und sich prächtig verstanden. Eine ganze Musikkapelle hatte er für sie anreisen lassen. Das machte doch keiner, wenn er ein Mädchen nicht wirklich mochte, oder etwa doch? Was hätten sie noch alles zusammen erleben können. Genau hatte Helene sich ausgemalt, wie sie mit ihm am See sitzen würde. Aber nun ging nichts mehr. Was sollte hiernach noch möglich sein? In Zukunft würden sie einander aus dem Weg gehen, sich aus den Augen verlieren und dann erst wieder begegnen, wenn dies Jetzt längst vergangen war und der andere einer geworden war, den man früher mal gekannt hatte.

Als könnte Helene sein Bild heraufbeschwören, sah sie ihn vor sich. Er trug seinen grünen Frack und schaute sie mit warmen Blicken an, auf genau dieselbe Weise wie vor ein paar Stunden noch. Was war nur schiefgelaufen? Sie musste sich eingestehen, dass bereits vor dem Fackelzug etwas falsch gewesen sein musste, schließlich waren sie *nicht* Arm in Arm geschlendert, hatten *nicht* geplauscht und Späßchen gemacht.

Plötzlich veränderte sich das Bild, das sie vor ihrem inneren Auge hatte. Sein Gesicht verzog sich zu einer schrägen Fratze, verzerrt vom Kinn bis zur Stirn. Dann wölbte es sich auf, bog sich über sie, als läge sie wieder unter ihm. Er lachte sauer. „Nein!", rief Helene. So wollte sie ihren Charles-Édouard nicht sehen! Sie kniff ihre Augen zusammen, ihr Körper verkrampfte sich, ihre Beine zuckten unkontrolliert und schlugen gegen die Wanne, bis sie so weit geschwächt war, dass ihr

176

Widerstand brach und Tränen unaufhaltsam aus ihren Augen stürzten.

Da klopfte es leise. Sie hörte ein tiefes Räuspern.

„Werte Comtesse Helene, bitte nicht erschrecken", sagte Brelow vor der Badezimmertür, „falls Sie gedenken, in den nächsten Minuten in Ihre Räume zu kommen. Ich und die schwarze Frau werden nun deren Sachen zusammensuchen."

Jule, dachte Helene, meine liebe Jule! Helene stieg aus der Wanne, trocknete sich rasch ab und zog sich den Morgenmantel vom Bügel. Als sie ihr Zimmer betrat, kroch Jule gerade unter den Schminktisch und langte nach einem Puderpinsel. Brelow stand neben der Tür, beobachtete die Bemühungen, half dem schwarzen Mädchen im Schürzenkleid jedoch mit keinem Handgriff. Jule rappelte sich auf und starrte Helene an. Helene sah verheult aus, die Wangen rotgefleckt, in den Augen aufsteigendes Wasser. Sie lief auf Helene zu und nahm sie in den Arm.

„Es tut mir alles so leid", sagte sie. „Was ist denn eigentlich passiert?"

Doch Helene verriet nichts, vor Brelow sowieso nicht.

„Kann der nicht mal rausgehen?"

Jule zeigte auf den Kammerdiener.

„Ich muss mich schließlich umziehen."

Brelow drehte sein Gesicht zur Wand, verließ aber nicht den Raum. Solange die Anweisung nicht von der Comtesse ausgesprochen wurde, galt sie für Brelow sowieso nicht. Helene ihrerseits dachte gar nicht daran, ihn hinauszuschicken. Seine vertraute Anwesenheit gab ihr plötzlich ein Gefühl der Sicherheit, indes Jule ihr merkwürdig fremd vorkam. Jule hatte sich nämlich nach der

Umarmung schnell von Helene abgewandt, achtete nicht mehr auf sie, sondern verstaute eilig ihre Kostüme im Koffer. Als sie dann das Schürzenkleid ausziehen wollte, legte Helene ihr die Hand auf den Arm.

„Behalt es doch", meinte Helene. „Steht dir irgendwie gut."

Jule grinste. Die glamouröse Josy, die Hamburgs Bühnen zum Toben brachte, heute als Bäuerin? Doch Helene bestand darauf, dass sie das Kleid behielt – als Erinnerung.

„Wie du meinst", sagte Jule. „Ich find schon eine, die sich darüber freuen wird. Kann sich ja nicht jede leisten, so ein gutes Kleid."

Das sicher nicht. In Jules Kiez grassierte das Elend: Hunger, Krankheit und Angst bestimmten das Leben der Menschen, die auf dem Bordstein strandeten wie tote Robben im Watt. Ausgemergelt. Abgerüstet. Ohne Speck am Leib. Graue Gestalten wie struppige Tauben, die sich für einen Kanten trocken Brot gegenseitig die Augen aushackten. Sie selbst verdiente gutes Geld mit ihren Auftritten. Natürlich musste sie bei ihrer Profession aufpassen, dass sie nicht in falsche Hände geriet. Dennoch, Jule bekam für ihr Tanzen mehr als ihre Mutter in vier Wochen als Flickerin; weswegen sie oft Geld nach Hause schickte.

Jule warf sich ihren schimmernden Bühnenmantel um und schlüpfte in ihre goldenen Riemchenschuhe.

„Sie können sich wieder umdrehen!"

Brelow staunte über die elegante Frau, die nichts mehr mit dem aschernen Bauernmädchen von eben gemein zu haben schien. Allerdings lugte unter dem glänzenden Mantel eine Kante von Gustas altem Kleid hervor. Besitz der gräflichen

Familie also, der heimlich aus dem Haus getragen werden sollte? Brelow schaute Helene kritisch an und tat, als verstehe er nicht richtig und erwarte weitere Anweisungen. Als die ausblieben, wies er die Comtesse diskret darauf hin, dass er dafür in Schwierigkeiten kommen könnte. Helene verjagte mit ihrer Hand eine unsichtbare Fliege. Das passe schon, Jules solle es behalten, auf dem Schloss gebe es doch so viele Kleider, und Jule kenne jemanden, der es bitter nötig habe, also!

Brelow gab sich geschlagen, nicht zuletzt weil er selbst auch von der Mildtätigkeit der gräflichen Familie profitierte, wenn man ihm einen Beutel mit Kleidung in den Arm drückte, die zwar getragen war, aber noch im guten Zustand. Das kam ab und an vor, nicht nur an Weihnachten. Heiligabend gab es dann die richtigen Geschenke, für die sich alle vom Gut im Weihnachtszimmer des Schlosses versammelten, gemeinsam sangen, und dann Graf Plasbalg jedem sein Päckchen überreichte: einen dicker Schinken, eine Pfeife oder eine Puppe für die Kleinen. Brelow beschloss, die Comtesse Helene zeige doch nur, dass sie ein gutes Herz habe, und hob Jules Koffer hoch, um ihn nach unten zu tragen. Jule sah Helene an. Einer spontanen Eingebung folgend, streifte sie sich einen glitzernden Reif vom Arm und schob ihn Helene über. Sie umarmten sich, als wären sie echte Freundinnen. Dann war Jule fort.

Sobald Helene allein war, lief sie zum Fenster. Vorsichtig, halb hinterm Vorhang versteckt, schaute sie hinüber zur Kurve, wo die Kutschen hielten. Dort warteten zwei wuchtige Karossen auf ihre Abfahrt. Drumherum scharrten sich mehrere Gäste und bewunderten die dicken Autos. Man strich ehrfurchtsvoll über den dunkelblauen Lack, kroch hinters Lenkrad, prüfte die Schaltung und klopfte auf die Armaturen. Heiner war auch dabei. Heiner liebte Autos. So ein Spektakel ließ er sich nicht entgehen, er nicht, und der alte Stallmeister ebenso wenig.

Dann sah sie Charles-Édouard mit versteinerter Miene und stolzem Schritt das Rondell hinabgehen, den Arm lässig über Jules Schulter gelegt. Mit kräftigem Handschlag und abfälligem Blick auf das Schloss hinter ihm verabschiedete Charles-Édouard sich von den anderen Gästen, während Jule auf die Rückbank schlüpfte. Atemlos beobachtete Helene die Szene. Sie wollte hinauslaufen auf den Balkon. Nach ihm rufen! Damit er zu ihr zurückkam! Sie musste ihn aufhalten! Aber durfte sie ihm hinterherrennen? Ja, am liebsten würde sie das tun! In ihrer Aufmachung jedoch, im Bademantel und mit einem Handtuch auf dem Kopf, traute sie sich nicht. Also blieb sie still an ihrem Platz stehen und starrte Charles-Édouard an. Ob er sich noch einmal umdrehen würde, um sie in den Fenstern zu suchen? Er konnte sie so doch nicht alleine zurücklassen! Nicht nach allem, was zwischen ihnen passiert war! Er konnte, nein, er durfte sie so nicht verlassen!

Jule hob noch kurz die Hand und winkte ihr zu. Sie sah dabei recht zerknirscht aus, als gefiele es ihr gar nicht, dieses schöne Schloss schon verlassen zu müssen. Helene stiegen die Tränen in die Augen. Sie blinzelte hastig, um noch etwas zu erkennen. Dann bogen die Autos in die Auffahrt und verschwanden im Flimmern der Pappelallee. Fort war er. Tatsächlich abgefahren. Helene blieb fassungslos.

Gegen Mittag fingen die Gäste an, sich zu verabschieden, was so lange dauern konnte wie ein Empfang, bisweilen auch länger. Bald war die Plasbalg'sche Familie mit nichts anderem mehr beschäftigt, als gebührend „Auf Wiedersehen" zu sagen, wobei sich die Gäste in vier Kategorien einteilen ließen.

Da gab es zum einen den bequemen Typus. Er blieb vorwiegend an seinem Platz stehen und ließ die anderen zu sich kommen. Lieber winkte er aus der Distanz, statt sich mühevoll aus seinem Gespräch zu lösen. Musste er selbst bald aufbrechen, hängte er sich an seine Begleitung, die ihre Liebenswürdigkeiten gekonnt platzierte, sodass er nur noch zu nicken brauchte.

Als Nächstes konnte man den minimalistischen Typ ausmachen. Dieser ging gar nicht erst zu jedem, um sich zu verabschieden. Ihm reichte der Weg zu den Gastgebern, wobei er auch dort die Unterhaltung kurz hielt. Auf die Frage nach der Reiseroute etwa antwortete er knapp „Wie immer" und verzichtete auf die an dieser Stelle gern folgende Ausführung, an welchen Gütern er demnach vorbeifuhr, und wie es den dort lebenden Familien ging. Der Minimalist hatte sich aufs Abfahren eingestellt und konnte nicht verstehen, dass ausgerechnet jetzt besprochen werden musste, was man in den letzten Stunden längst hätte tun können, wenn es denn so wichtig war; nun wollte man los.

Nur leicht abweichend davon verhielt es sich beim sportlichen Typ, der beim Verabschieden Ehrgeiz bewies, jedem auf Wiedersehen zu sagen, auch solchen, die er gar nicht kannte. Seine Konversation blieb dabei sachlich und kurz. Sie reichte höchstens für ein Nachfragen, ob es den

Eltern gut ging, worauf die erwartbare Antwort lautete, dass es allen gut ging, sogar sehr gut.

Zwischen diesen drei Typen hätte die Prozedur der Verabschiedung bald vollzogen sein können, gäbe es da nicht den barocken Typus. Hier begannen die Längen. Begegnete ein barocker Typ dem anderen wurde ohne Zögern die Tasche wieder abgestellt und notfalls auf halber Pobacke Platz genommen. Doch die Kutsche wollte fahren. Man musste leider los. Zum Schluss verabredete man sich, wenn auch unverbindlich, für die Rennbahn oder einen Spaziergang im Strandbad Heiligendamm. Kaum aber hatte sich der barocke Typus von seinem Gesprächspartner gelöst, traf er schon auf den nächsten, und das Spiel begann von vorne.

Helene, die sich mittlerweile angezogen hatte, beobachtete die Gäste vom Türrahmen aus. Jeder, wirklich jeder, verabschiedete sich. Alle fragten nach ihr und ließen Grüße ausrichten. Alle, nur er hatte weder gefragt, noch Grüße geschickt. Helene verstand die Welt nicht mehr. Wieso war Charles-Édouard so schnell abgefahren? War er etwa vor ihr geflüchtet?

Da entdeckte Luise die jüngere Schwester. Sie löste sich aus ihrem Gespräch und lief zur ihr hin.

„Da bist du ja", sagte Luise und strich ihr liebevoll über die Wange.

„Er ist nicht mehr da", flüsterte Helene.

„Ich weiß", sagte Luise. „Aber mach dir keine Sorgen. Der kommt nicht wieder."

„Wieso ist er denn so schnell abgefahren? Hat er mir was ausrichten lassen?"

Luise schüttelte den Kopf.

„Dazu kam es nicht mehr. Ich habe ihm befohlen, Plasbalg auf der Stelle zu verlassen."

Was hatte Luise getan? Charles-Édouard hinausgeworfen? Helene konnte es nicht fassen, dass ihre Schwester über ihren Kopf hinweg entschieden hatte, und wusste doch gleichzeitig, dass Luise das Richtige getan hatte, weil es so am besten war. Tatsächlich war sie erleichtert, dass sie ihm nicht mehr in die Augen schauen musste. Helene stellte sich vor, wie er widerwillig vor ihr stand, gezwungen zu einer Konfrontation, der er lieber aus dem Weg gegangen wäre. Wozu hätte sie sich dem aussetzen sollen? Jeder neue Eindruck würde doch nur der Nährboden für weitere Analysen sein, an deren Ende die immer gleiche, schmerzende Erkenntnis stand. Doch so grausam die Wahrheit auch war, sie, die Comtesse Helene, durfte nicht zulassen, dass er sie brechen konnte. Sie musste jetzt Haltung bewahren, durfte nicht in sich zusammenfallen, wie ein Turm im Sturm. In diesem Moment ertönte die Stimme des Vaters, der ihren Namen rief. Sie trat einen Schritt aus dem Türrahmen und winkte ihm zu. Er tippte ulkig auf seine Taschenuhr und rief, Helene sei wirklich die Allerletzte der Bagage, ausgeschlafen, ja?

In der nächsten Stunde schaffte Helene es tatsächlich, sich heiter zu geben. Sie hielt sich bei den restlichen Gästen auf, immerhin noch eine Gruppe aus zwanzig Personen. Brelow schlug ein weißes Netz in den Rasen, damit die Herrschaften Tennis spielen konnten. Helene stellte sich gleich in der ersten Mannschaft auf. Es fühlte sich gut an, an all dem teilzunehmen und nicht wie ein Trauerkloß in ihrem Zimmer zu sitzen, nur weil Charles-Édouard abgefahren war. Sie zupfte die Saiten ihres Schlägers. Er sollte bleiben, wo der Pfeffer wächst! Sie lockerte ihre Beinmuskeln und schüttelte die Arme. Dann haute sie mit einer Stärke, welche die

Schmach zu verdrängen suchte, auf die Bälle: Sie hatte doch ein tolles ... Ball! ... Leben! Wer daran nicht teilhaben wollte ... Ball! ..., dem war nicht zu helfen! Was sie einem Mann alles bieten konnte! Schön doof, wer glaubte, darauf verzichten zu können! Auf sie konnte doch keiner ver- ... Schmetterball! ... -zichten, dem der Sinn für höchste Qualität ... Aufschlag/Ass! ... nicht gänzlich abhandengekommen war!

Bald wollte jeder mit Helene in einer Mannschaft spielen.

29

Währenddessen stand ich auf der Terrasse, inmitten einer Gruppe junger Herren, zwischen Jochen und Axel.

„Sehen wir uns also beim nächsten Treffen?", fragte Axel und fasste mich fest an der Schulter.

„Unbedingt! Ab jetzt könnt ihr auf mich zählen."

Begeistert zog Jochen seinen Kalender aus der Jackentasche, blätterte darin sechs Seiten vor und zwei wieder zurück und stellte eine schnelle Rechnung im Kopf an.

„In vierzehn Tagen hörst du von mir", sagte er.

Da mischte Vater sich in unsere Unterhaltung ein.

„Was denn für ein Treffen?"

„Das Treffen der Herrengesellschaft", sagte ich.

Vater schüttelte den Kopf.

„Das ist nicht dein Ernst!"

„Was hast du denn jetzt schon wieder auszusetzen?", fragte ich scharf.

„Das erklär ich dir ein anderes Mal", sagte Vater. „Nicht jetzt!"

Ich wollte es aber jetzt wissen! Der Vater sollte gefälligst mit der Sprache herausrücken, was sein Problem mit der Herrengesellschaft war! Ich wiederholte meine Frage, wobei meine Stimme aufbrauste, als wolle ich einen Streit provozieren. Aber Vater wandte sich von mir ab und plauderte ohne erkennbaren Zusammenhang mit seinem Nachbarn zur anderen Seite, ganz so, als wäre nichts geschehen.

Wütend schaute ich Jochen an, der sollte mir mal Schützenhilfe geben! Doch Jochen hatte gleichfalls entschieden, nicht weiter auf mich einzugehen. Ausbrüche dieser Art wurden allgemein als unangenehm für alle Beteiligten wahrgenommen, das war mir klar. Doch in mir brodelte es weiter. Ich konnte nicht verstehen, warum Vater tat, als würde ihn das alles nichts angehen. Was waren eigentlich die Beweggründe für seine ständige Abseitigkeit? Hatte er am Ende sogar was zu verheimlichen?

Keine Stunde später zogen Vater und ich uns in der Diele unsere Reitstiefel an. Draußen warteten zwei gesattelte Pferde. Wir brauchten nur noch aufzusitzen. Vater schritt im blütenweißen Reitanzug auf seinen Rappen zu und bat den Stallmeister, ihm den Sattel gegenzuhalten. Als wir gerade losreiten wollten, stand Luise in der Tür. Sie hatte etwas Dringendes zu besprechen und tat dabei, wie immer, sehr wichtig. Doch Vater winkte ab. Was es auch war, das Luise jetzt von ihm wollte, es musste warten.

Vater bog auf den schmalen Sandweg ein, der von hinten an der Orangerie entlangführte. So fingen die Ausritte normalerweise nicht an. Bald nämlich führte dieser Weg durch eine Allee auf den Stock gesetzter Linden, deren dünne Zweige so fest ineinander verhakelt waren, dass man kaum durch sie hindurch kam. Um den Zweigen auszuweichen, beugte Vater sich weit nach vorne, wobei sein Einstecktuch an einem Ast hängenblieb, und dort gewiss verloren gegangen wäre, hätte ich nicht rechtzeitig meine Hand danach ausgestreckt. Als ich es ihm reichte, nahm er es schweigend entgegen, wobei er kaum aufschaute, so tief war er in seine Gedanken verstrickt.

Ich kaute auf meiner Unterlippe herum und biss kleine Hautfetzen ab. Sollte ich das Gespräch beginnen? Es gab genügend Vorwürfe zu machen. Nicht nur, dass Vater mich vor allen Leuten bloßgestellt hatte, mich behandelt hatte wie ein Kind. Ich stellte gleichfalls in Frage, ob es richtig von den Eltern gewesen war, das Fest zu verlassen. Hätten sie das Fest nicht verlassen, wäre Helene womöglich niemals in diese schreckliche Situation gekommen. Hätte man sie nicht davor bewahren können, bewahren sollen und auch müssen? Doch ich schreckte davor zurück, das größte Geheimnis der Nacht preiszugeben. Es durfte nicht unüberlegt aus mir herausplatzen. Nicht ich, sondern Helene trug hier den Schaden. Außerdem hatte ich noch genügend eigene Themen mit dem Vater zu klären. Vor allem die Sache mit der Herrengesellschaft. Was hatte der Vater für ein Problem? Wieso wollte er da nicht mitmachen? Ich überlegte noch hin und her, wie ich es am besten ausdrücken sollte, als ein Satz ungefiltert aus mir herausstolperte:

„Wie … kommt … mit der Herren…schaft?"

Sofort ärgerte ich mich, dass ich immer noch nicht in der Lage war, fehlerfrei zu sprechen.

Aber Vater hatte schon verstanden und erklärte süffisant:

„Dieses Staatswesen, das sie dort predigen, hat sich doch längst widerlegt. Warum soll ich mich mit so was abgeben?"

Er ließ sein Pferd antraben und hielt den Zügel lose in der Hand. Dann erschlug er eine fette Bremse, die sich am Pferdehals festgebissen hatte und prompt einen Blutfleck auf seinem Handschuh aus Kalbsleder hinterließ.

187

„Aber du bist doch noch nie dabei gewesen!",
schrie ich ihm hinterher. „Dann kannst du es doch
gar nicht beurteilen!"

Vater drehte sich zu mir um.

„Ich kenne ihr reaktionäres Geschwätz. Es
langweilt mich."

Das konnte ich irgendwie nachvollziehen.

„Aber das ist nur die halbe Wahrheit", fuhr Vater
fort. „Es langweilt mich nicht nur, wenn im
Gedenken an das untergegangene Reich seine
vermeintlichen Tugenden hervorgekehrt werden.
So streng kaiserlich wie man sich heute gibt, ist
man doch vor dem Großen Krieg längst nicht
gewesen. Vor allem frustriert es mich. Ich kann
nicht verstehen, wie man so beschränkt sein kann,
ein Zurückkehren in die alte Gesellschaft zu
fordern. Man kann doch nicht einfach übersehen,
welches Elend diesem System entwachsen ist.
Krieg, Hunger, Tod und Gemetzel in allen
Generationen. Der Adel muss endlich aufhören,
das alte Krakennetz heraufzubeschwören, das mit
Fug und Recht – spätestens seit der Flucht des
Kaisers – untergegangen ist. Nun ist es an der Zeit,
dass andere Geister das Schicksal Deutschlands
lenken."

Wir waren jetzt im kleinen Wäldchen
angekommen, in dem die Sonne nur noch schwach
durch die Zweige drang und die Luft nach
Tannennadeln schmeckte.

„Aber warum tust du dann vor anderen so, als
würde dich das alles nichts angehen?", rief ich.

Vater warf seinen Kopf in den Nacken, schaute
dann zu mir herab:

„Glaubst du wirklich, dass die
Herrengesellschaft irgendetwas besser machen
kann?"

„Die tun wenigstens was, damit es in Deutschland vorangeht."

Vater sah mich an, als könnte er kaum fassen, wie unbedarft sein Junge daherredete.

„Georg, ich möchte dir mal eine Frage stellen."

Ich nickte.

„Worauf, glaubst du, kommt es im Leben an: Woher man kommt oder wohin man will?"

Ich wägte das eine mit dem anderen ab.

„So und so", sagte ich schließlich.

Auf eine Antwort dieser Art schien er nur gewartet zu haben.

„So läuft es aber nicht, Georg. Das ist zu unentschieden. Damit kommst du nicht weit. Nicht in diesen Zeiten, in denen alles kopfsteht."

„Wenn man es denn kopfstehen lässt", widersprach ich. „Andere wissen sehr genau, wie die Gesellschaft sortiert sein muss, damit sie funktioniert."

Vater schüttelte den Kopf.

„Diese anderen, von denen du da sprichst, müssen sich dringend bewusst werden, in wessen Horn sie damit stoßen."

„Wen meinst du damit?", fragte ich.

Vater dachte an die Männer mit den quaderförmigen Bärtchen: „Diese Nationalsozialisten, natürlich. Bei meinem letzten Besuch in München habe ich sie mir genau angeschaut. Feiste Faschisten sind das, und der, den sie den Trommler nennen, ist der Allerschlimmste, – brandgefährlich! "

Ich verschwieg, dass der Trommler für die Herrengesellschaft ein willkommener Gastredner wäre, wenn er denn zusagt. Aber das schien der Vater auch so zu wissen. Ich wollte mich hüten, weiter Öl ins Feuer zu gießen, doch ich spürte, dass

189

unlösbare Probleme uns zukamen, sollten Jochen und Luise tatsächlich heiraten. Dann würde ein Riss durch meine Familie gehen. Das wollte ich nicht. Ich überlegte, wie ich Jochen und Axel erklären sollte, dass ich nun doch meine Zusage zurückziehen wollte. Ob sie mir das verzeihen würden? Axel sicher nicht. Als letzte Verteidigung meiner Bastion versuchte ich ein Argument anzubringen, das ich im Studentenkeller aufgeschnappt hatte.

„Aber die Braunen sind doch noch das kleinere Übel, wenn man bedenkt, was alles von links kommt."

Vater brauste auf, wenngleich er jetzt gewiss nicht die Kommunisten verteidigen wollte.

„Das Problem an den einen wie den anderen", rief er, „ist ihr Ausgangspunkt. Sie denken den Menschen in vorgefertigten Rollen und übergehen dabei sein größtes Potenzial."

Was das sei, wollte ich wissen. Daraufhin Vater, ein bisschen übertrieben durch die Nase:

„Des Menschen Fähigkeit, sich zu verbessern! Eine Generation muss doch aus den Fehlern der vorherigen lernen. Was soll das Ganze denn sonst für einen Sinn haben?"

Er kam jetzt richtig in Fahrt. Wir waren schon längst bei den Peenewiesen angekommen, da schimpfte er immer noch über die starren Hierarchien der Gesellschaft. Wie teuer das nur immer wurde! Dabei müsste man nämlich immer auch denjenigen weiterbezahlen, der ehemals die Position innegehabt hatte, im Zweifel sogar noch befördern, selbst dann, wenn dieser sich disqualifiziert hatte. Ich horchte auf. Wenn das stimmte, dürfte Vater aber auch kein Gutsbesitzer sein. Ohne den neuen Gutsverwalter wären wir doch aufgeschmissen. Vater bemerkte meinen kritischen Blick nicht, sondern steigerte sich, auf Roussau'sche Art und Weise, immer weiter in seine Reden hinein:

„Freiheit bedeutet nicht, tun zu können, was man will, sondern *nicht tun* zu müssen, was man *nicht will*!"

Er atmete einmal tief durch und fuhr fort:

„Weißt du, Georg, ich ärgere mich maßlos über die Konservativen, weil sie sich gegen jede Art von Wandel stemmen. Statt nämlich Veränderungen, ja sogar Verbesserungen, im System zuzulassen, machen sie sich immer nur den Fortschritt zum Feind."

Ich musste an meine gestrige Unterhaltung mit Jochen denken. Der hatte doch im Grunde die Kehrseite von dem beschworen, wovon mein Vater jetzt sprach. Ob Vater für seine Haltungen eigentlich angefeindet wurde? Falls dem so war, schien er darüber keineswegs besorgt zu sein.

„Deshalb habe ich auch die Kunst so gern", schwärmte er weiter. „Ein Künstler experimentiert mit der Freiheit und schafft dabei neue Spielräume, jenseits von allem Angepassten und jeder Wahrscheinlichkeit. Immer auf der Suche nach Wahrheit: nach Wahrheit und Freiheit. So sind Künstler, ach, genau das liebe ich an ihnen."

Vater lachte laut, aber ich verstand nicht recht, was daran so lustig sein sollte.

„Dabei musst du aber eins wissen, Georg: Menschen haben die Veranlagung, sich freier zu fühlen, als sie sind. Tatsächlich aber leben die meisten in einem inneren Gefängnis. Jeder in seinem Käfig. Für die Kunst aber gilt diese Grenze nicht."

Vater schmunzelte.

„Und dann kann es dir passieren, dass du vor einem Bild stehst und siehst, dass dieses Bild nicht nur schön anzusehen ist oder eine interessante Perspektive zeigt, nein, dann kann es dir passieren, dass ein Bild dich dort berührt, wohin dein Geist noch nicht gedrungen ist …"

Er schwieg einen Moment, schien seinen eigenen Worten nachzuspüren.

„… was wiederum befreit", vervollständigte ich seinen Gedanken.

Vater sah erstaunt auf und nickte dann besonnen.

„Du und ich, wir sind aus demselben Holz geschnitzt. Das macht mich sehr stolz auf dich, mein Sohn."

Wir ritten schweigend weiter, bis Vater mit einem Ruck sein Pferd anhielt, tief Luft holte und dann seine Worte so konzentriert auswählte, als wären sie nicht nur an mich gerichtet, sondern gleichsam an einen weit hinter dem Horizont.

„Ich glaube nun mal daran, dass der höchste Wert das Recht auf ein freies Leben ist. Und das soll dem Menschen sein Streben nach Glück ermöglichen…"

Mir gefiel dieses Sprüchlein gut, genau wie das darauffolgende:

„… und dieses Recht gilt für jeden in gleicher Weise."

Vater rühmte noch eine Weile diese, seiner Meinung nach, größte Errungenschaft der Moderne und wünschte sich, dass keiner das neue Recht umstoßen möge. Vor allem deswegen nicht, weil mit diesem Recht einherging, dass ein jeder das Höchste erreichen konnte, das in seinem Bereich lag – mit aller guten Kraft. Mit der Kraft, die erschafft.

Ich spürte, dass diese Worten nicht nur schön klangen, sondern eine Wahrheit in ihnen steckte, die mir so ursprünglich erschien, als hätte ich sie immer schon gekannt und aus unerklärlichen Gründen über die Jahre vergessen. Warum wusste eigentlich Jochen nichts davon? Hatte ihm das nie jemand erklärt?

„Warum hast du das eben nicht zu Jochen gesagt?", fragte ich.

„Das lohnt nicht", sagte Vater. „Jochen ist in seiner Haltung total festgefahren. Ich kann ihn ja sogar verstehen. Jochen braucht das starre Gerüst. Seine Existenz als Hoferbe hängt davon ab. Der denkt nicht noch mal um. Aber es soll mir auch egal sein, wie Jochen worüber denkt. Jedem das Seine!"

30

Nachdem Helene beim Tennis ihre ganze Energie verschossen hatte, gab sie ihren Schläger bereitwillig weiter und ließ sich mit einem Glas Zitronenwasser auf eine Sonnenliege sinken, die abseits von den anderen stand. Sie fand, dass sie eine sehr gute Figur gemacht hatte. So *hätte* Charles-Édouard sie mal sehen sollen. Ihr Aufschlag *hätte* Charles-Édouard bestimmt beeindruckt. Er *hätte* das Spiel aufmerksam verfolgen können, *hätte* seinen Blick nicht von ihr gelassen, *wäre* am Ende zu ihr gekommen, um der glücklichen Gewinnerin zu gratulieren, *hätte* dabei ihre erhitzten Wangen ganz entzückend gefunden.

Ach ja, wirklich? *Hätte, hätte, hätte* er das? *Hatte* er ihr gestern etwa nicht spöttisch über den verschwitzten Nacken gewischt? *Hatte* er, ja. *Hatte* es dabei Anzeichen liebevoller Zuneigung gegeben? Nein, *hatte* es nicht, im Gegenteil. Es *hatte* sich vielmehr so verhalten, dass er sich abgestoßen gezeigt *hatte* von ihrer mangelhaften Perfektion. Ein nach Luft hechelndes Mädchen mit feuchten Flecken um die Achseln? Um Himmels Willen! Eine vollendete Frauenerscheinung wie auf einem Werbeplakat? Schon besser. Eine mollige Landpomeranze? Nein, danke. Helenes Selbstbewusstsein erlosch wie ein Glühwürmchen in der Dämmerung: ihr offenes Wesen, ihre liebe Lust am Leben, ihre Phantasie – wie konnte das alles noch Wert haben, wenn es ihm nichts wert war?

„Was sitzt du denn hier so alleine?", fragte Theresa und riss Helene aus ihrer Versunkenheit, in der sich noch viel dunklere Gedanken ausbreiten wollten, und legte sich auf die Liege neben ihr. Helene wollte sich ihrer Freundin anvertrauen, wollte ihr detailliert schildern, was in der Nacht passiert war, wollte sich dem Trost hingeben, den die Freundin ihr gewiss zusprechen würde. Doch weiter als ein paar verhaspelte Sätze kam sie nicht. Theresa hörte ihr gar nicht richtig zu, sondern rief vier jungen Herren, die gerade ihr Tennisspiel beendet hatten, ein paar Scherzworte zu. Die Herren ließen sich eine Erfrischung reichen und schlenderten dann, angelockt von Theresas wallendem Haar und ihrem munteren Necken, auf die Mädchen zu. Die Aufmerksamkeit der Männer weiter reizend, wollte Theresa nun so tun, als führten sie und Helene gerade ein interessantes Gespräch: Helene solle weitererzählen, was habe sie gerade noch gesagt?

Als Helene daraufhin aber gar nichts mehr sagte, sondern nur verdrossen den Kopf schüttelte, drehte Theresa sich wieder der Gruppe zu, die nun keine drei Meter mehr von ihnen entfernt war.

„Da ist sie ja, unsere Königin der Nacht!", rief einer der vier und schaute dabei auf Helene.

Helene zuckte zusammen. Was sollte das heißen? Wusste er etwa von ihrer Situation? Womöglich aber nicht nur er, sondern alle anderen genauso? Tuschelte man schon über ihr Desaster? Als hätte man Helene eine Brille aufgesetzt, sah sie nun flüchtige Blicke aus allen Richtungen zu ihr herüberhuschen, besonders auffällig von der Picknickdecke, auf der sich die zwei Mädchen niedergelassen hatten, mit denen Helene am Abend zuvor um Charles-Édouard gebuhlt hatte. Mit einer Mischung aus Neugier und Abschätzung hatten sie Helene im Visier, aber sobald Helene ihren Blicken begegnete, taten sie, als hätten sie sich nur zufällig getroffen. Dabei kam es Helene so vor, als könnte sie von ihren Lippen ablesen: Was für ein leichtes Mädchen Helene sei, wirklich schamlos. Man habe das gestern schon spüren können, als man mit ihr und Charles-Édouard vor dem Fackelzug zusammengestanden habe. Freundschaft? Verwandtschaft? Alles gleichgültig, sobald ein Mann im Spiel sei.

„Wäre ja nicht das erste Mal", formulierte ihr Geist die mögliche Antwort, als würde sie tatsächlich so ausgesprochen werden. „Die Helene schmeißt sich doch jedem an den Hals, der gerade zur Stelle ist. So eine will dann kein anständiger Mann mehr heiraten. Charles-Édouard ist ja auch schon abgereist."

Helene hätte sich am liebsten die Ohren zugehalten, als ob das etwas nützen würde. Mit einem Ruck drehte sie den Puten den Rücken zu. Da ergoss sich das Glas Wasser über ihr Kleid, das sie neben sich abgestellt hatte, alles nass am Po, doch sie ließ sich nichts anmerken, sondern ließ es gleichgültig versickern.

Nach einer Weile horchte sie auf. Und wunderte sich. Warum sprang der Lange da so wild auf und ab wie ein Affe? Dem fehlte ja bloß noch die Banane. Die Banane?! Plötzlich wurde Helene klar, wer hier nachgeäfft wurde und je länger sie nun der Gruppe zuhören musste, desto stärker wurde ihre Abscheu: Sie redeten über Jule, als wäre sie ein Stück Fleisch mit langen Beinen, und besprachen die Idee, einen Auftritt im kleinen Kreis zu buchen, genau wie Charles-Édouard es vorgeschlagen hatte. Der Lange stieß ein höhnendes Lachen aus.

„Ich habe einen Onkel, dem würde so eine Tanzkur auch mal guttun!", rief er, und die anderen lachten dazu. „Der tut seit Jahren nichts anderes mehr, als auf seinem Gut zu degenerieren."

Helene musste blinzeln, weil sie so erschrak über die Verwandlung, die sie an dem Langen wahrnahm. Gestern hatte sie ihn noch als einen der Attraktivsten empfunden. Heute wirkte er blass, blutleer und abstoßend in seiner Arroganz. Ihr war, als verzerre sich sein Gesicht wie zu einer Karikatur. Spielte ihre Phantasie ihr schon wieder einen Streich? Schnell wandte Helene ihren Blick ab von der unheimlichen Erscheinung. Sie schaute zu Theresa, doch auch sie hatte für Helene nichts Attraktives mehr an sich. Jeder Glanz war verschwunden, die Anmut einem grauen Schleier gewichen. Ihr Gesicht wirkte spitz und hager, ihre Haut spannte und unter den Wangenknochen bildeten sich dunkle Schatten. Wenn Theresa über die Bemerkungen der Herren kicherte, hörte Helene statt des hohen Mädchenlachens eine Art hexenhaftes Meckern. Plötzlich konnte Helene genau erkennen, wie abgeschmackt die Freundin als alte Frau aussehen würde.

Am liebsten wäre Helene sofort weggelaufen. Nur ihr nasses Hinterteil hinderte sie daran. Sie wollte der Gruppe jetzt aber gewiss keinen Anlass geben, sich auch über sie lustig zu machen. Ihr Mund schmeckte trocken wie Wüstensand. Sie nahm sich Theresas Glas und trank statt des vermuteten Wassers einen großen Schluck Wein, was ihr der Magen sofort verübelte und warme Spucke in den Mund hinaufschickte. Hilflos schaute Helene sich um, ob nicht vielleicht ein Dienstmädchen auf sie achtete und ihr ein Glas Wasser bringen könnte. Aber alle waren viel zu beschäftigt, um auch noch die Comtesse auf der anderen Seite der Wiese zu bedienen. Eine Magd feudelte durch den Saal, ein Dienstmädchen servierte Tee, der Rest des Gesindes bereitete wohl schon das Abendessen vor; wohl wissend, dass in den vielen Gästezimmern noch Berge an Bettwäsche abzuziehen, zu waschen, zu plätten und wieder in die Schränke zurückzulegen waren.

31

Als wir die Peenewiesen hinter uns gelassen hatten und die Pferde ihren Schritt verlängerten, weil sie wussten, dass es nun nach Hause ging, dachte ich darüber nach, ob es nicht doch ein Geheimnis um den Vater gab, das den Argwohn der Leute erklären könnte.

Könnte es mit dem Krieg zu tun haben? Über den Krieg sprach Vater nie. Falls es mit dem Krieg zusammenhing, müsste es etwas Schlimmes sein, wenn man sich deswegen seit Jahren vom Vater distanzierte. Könnte mein Vater sich im Krieg unehrenhaft verhalten haben, sinnlos gemordet oder Gefangene gequält? Ich konnte mir das einfach nicht vorstellen. Mir fielen die Orden ein, die ihm verliehen worden waren. Das konnte es also nicht sein! Aber was war es dann? Es könnte ein Geheimnis aus seiner Vergangenheit sein. Eine alte Begebenheit, die erklären würde, warum die Gesellschaft, wenn sie daran dachte, hochmütig die Lippen spitzte und sich schrecklich wichtig nahm. Vielleicht sollte ich ihn jetzt fragen, was das war? Andererseits hatte ich Sorge, dass er mir nicht vertrauen würde und ich ihm durch mein neugieriges Nachfragen zu nahetreten könnte. Als wir dann aber so harmonisch nebeneinanderher ritten, inmitten der vertrauten Felder, und die Hufeisen auf der Holzbrücke friedlich klapperten, tat ich es dann doch.

„Kannst du mir eines erklären?"

Der Vater nickte, gerne wolle er das tun.

„Wieso reden die Leute so schlecht über dich?"

Der Vater sah mich erstaunt an.

„Wie kommst du denn darauf?"

„Wenn ich mich irgendwo vorstelle, behandelt man mich wie einen Verdächtigen. Wir tragen ja auch fast denselben Namen: S.E. Graf Georg von Plasbalg und S.E. Erbgraf Georg von Plasbalg. Aber warum ist das so, Vater? Warum machen die Leute das?"

Da wollte Vater zuerst einmal wissen, bei wem mir das aufgefallen sei.

„Zum Beispiel bei Jochens Vater."

Er stutzte einen Moment, dann huschte ein Schmunzeln über sein Gesicht.

„Ich weiß es wirklich nicht."

Ich glaubte ihm kein Wort. Doch mein Vater beteuerte, keine konkrete Erklärung liefern zu können, außer natürlich seinen Lebensstil, der unter Konservativen leicht als Provokation empfunden wurde. Dann erzählte er mir von Abendessen auf Plasbalg, an denen er beobachtet hatte, wie schlecht sich der Landadel mit neuen Gesichtern vertrug: mit diesen Fremden, deren Nachnamen man in Mecklenburg noch nie gehört hatte. Vater hatte sich aus ihren Empfindlichkeiten auch noch einen Spaß gemacht! Er erzählte, dass er Jochens Vater neben seinen exzentrischen Freund, den Berliner Galeristen, gesetzt hatte, natürlich mit Absicht – und mit Absicht nicht neben die hübsche Schauspielerin. Die saß am besten neben seinem guten Freund, dem russisch-stämmigen Erbgroßherzog von Mecklenburg-Strelitz, da hatte sie es gut.

„Aber das ist doch alles schon so lange her!", rief Vater.

Seit Jahren nahmen an seinen Einladungen doch sowieso nur noch die teil, die ihm gut passten. Wie konnte es sein, dass seine Gästeliste aus längst vergangenen Tagen etwas war, dass jetzt noch seinem Sohn angelastet wurde?

Ich stimmte zu, hier stimmte etwas nicht. Also bat ich meinen Vater, sich der Wahrheitsfindung weiter anzudienen. Vater nickte.

„Bei wem, hast du gesagt, ist dir das noch aufgefallen?", fragte er.

Ich zählte ein paar Namen auf.

„Ja ne, bitte, das kann doch nicht immer noch an dieser einen Sache liegen. Die liegt doch schon über dreißig Jahre zurück!"

Vater wirkte nun richtig böse.

„Damals haben sich genau diese Personen besonders stark über mich aufgeregt, mich jahrelang geschnitten, wobei sie sich mehr um den Bruch scherten als ich. Mir war es bald schon egal, dass ich bei gewissen Leuten eben nicht mehr eingeladen wurde. Hat dieser Kleinkrieg denn nie ein Ende? Vielleicht war ich etwas naiv, das anzunehmen. Dass ich bei gewissen gesellschaftlichen Anlässen immer noch dabei bin, erschüttert wohl bis heute ihr Weltbild, schließlich widerlege ich damit die landläufige Ansicht, dass niemand sich, niemals, über die Gesetze des Adels hinwegsetzen darf."

„Was ist also der Grund? Was ist genau passiert?"

„Ach, weißt du. Das alles ist schon schrecklich lange her. Wenn die sich heute noch damit beschäftigen, beweist das nur, dass sie ein langweiliges Leben führen und den ganzen Tag nichts besseres zu tun haben, als über andere Leute zu reden."

„Sag mir doch bitte, worauf sie anspielen. Das fände ich wirklich hilfreich."

Vater atmete durch.

„Im Grunde ist es harmlos. Als ich so alt war wie du, vielleicht noch ein paar Jahre älter, habe ich ein Buch geschrieben."

„Was denn für ein Buch?"

„Einen Roman", sagte der Vater. Ich spürte, dass es ihn viel Anstrengung kostete, diesen Begriff zu benutzen, als wäre er unverhältnismäßig groß im Vergleich zu seiner literarischen Leistung.

„Wovon hat der Roman denn gehandelt?"

„Ich habe in diesem etwas jugendlichen Buch eine Wahrheit ausgesprochen, die mir damals groß vorgekommen und heute selbstverständlich ist. Kurzum: Es ging über die Leute und das Leben."

Ich wunderte mich, dass der Vater so viel Aufwand für Leute getrieben hatte. Was war an denen schon interessant? Das reichte doch gerademal für eine Kulisse. Falls ich mich einmal dazu entschließen sollte, ein Buch zu schreiben, dann, *um dorthin zu entschweben, wo man mich braucht, wenn ich geworden bin* – das waren nicht meine eigenen Verse. Ich hatte sie irgendwann einmal gelesen, auch wenn ich jetzt nicht mehr wusste, wann oder wo oder von wem sie stammten; was ja auch gleichgültig sein konnte: wichtig war nur, dass es sie gab.

„Wieso gibt es heute noch ein Problem damit, dass du vor dreißig Jahren ein Buch geschrieben hast?"

Vater verteidigte sich nur widerwillig für seinen vermeintlichen Fauxpas.

„Ich habe auch über sie geschrieben", brummte er. „Das hat der Adel nicht gern, wenn einer was ausplaudert. Um ein makabres Sprichwort zu bemühen: Man will sich nicht auf die Teller gucken lassen. In ihren Augen hatte ich einen Verrat begangen. Mein Buch war ein Skandal. Ich habe viele, sehr viele böse Briefe gekriegt. Dabei habe ich gar nicht nur über die Mecklenburger Gesellschaft geschrieben. Ich habe sie in einen Kontrast gesetzt zu meinem Leben in Paris. Natürlich habe ich auch geschrieben, was ich dort alles erlebt hatte. Das ging ihnen erst recht zu weit! Eines aber habe ich dabei beobachten können: Meine Pariser Freunde haben an meinem Buch keinen Anstoß genommen, im Gegenteil, sie fühlten sich geehrt, in meinem Werk vorzukommen."

Ich überlegte, wie Vater wohl gewesen ist, als er so alt war wie ich. Eine grundsätzlich schwierige Vorstellung. Mein Vater war doch so anders als ich, wenngleich, bei Licht betrachtet, es doch ein bisschen möglich schien, schließlich benahm er sich oft wie ein Kind.

Aber was konnte denn so schlimm an einem Buch sein? Da durchfuhr mich ein Schrecken, dass einer auf die Idee kommen könnte, die Geschehnisse des gestrigen Abends in einem Buch zu veröffentlichen. Aber warum eigentlich? Wie leicht ich Charles-Édouard niedergestreckt hatte, durfte meinetwegen jeder wissen. Aber kein Wort über Helene! Diese Geschichte ging niemanden etwas an. Es schauderte mich, als ich mir ausmalte, was Charles-Édouard vor aller Welt über Helene ausbreiten könnte …

„Hast du in deinem Buch auch fremde Geheimnisse verraten?", flüsterte ich.

„Kein einziges", versprach Vater. „Das alles war eine lupenreine Fiktion."

„War es schlimm für dich, so geschnitten zu werden?"

„Ach was! Pack schlägt sich, Pack verträgt sich."

Ich lachte über den Begriff aus der Gosse, der ihn irgendwie erhaben wirken ließ. Aber trotzdem gab es noch einen Haken. Denn bei all seiner Schwärmerei von Freiheit und Kunst, hätte Vater nicht besser in einer Metropole leben sollen als auf dem platten Land? Die Landwirtschaft hatte er weder mit Leidenschaft noch mit Erfolg betrieben. Warum hatte er ein Leben in Plasbalg gewählt? Er hätte das Erbe auch ausschlagen können.

Ich eröffnete also die Partie.

„Eine Sache hab ich noch nicht verstanden. War dein Erbe für dich nun eine Ehre oder eine Bürde?"

„Eine Ehre", schwor Vater mit Nachdruck, der auf mich den Eindruck machte, als müsse er sich selbst überzeugen.

„Komm schon", versuchte ich ihn aus der Deckung zu locken, „was hat ein Kunstsammler schon in der Provinz verloren?"

Da passte es meinem Vater gut ins Konzept, dass die Pferde unruhig wurden und sich gegen die Zügel stemmten. Vor uns lag die Galoppstrecke. Vater stellte sich in die Steigbügel, ließ seinem Pferd die Zügel und jagte im gestreckten Galopp den steilen Hügel hinauf. Oben angekommen, gleich neben dem großen Findling, parierten die Tiere wie von selbst in den Schritt durch. Sie waren nass geschwitzt. Vaters Rappe schäumte weiß an der Brust. In diesem Moment kam hinter einer fluffigen Wolke die Sonne hervor und schickte ihr Licht durch die klare Sommerluft. Von hier aus konnten wir die letzten Häuser vom Dorf sehen, und, wenn man ganz genau hinschaute, zwischen den Baumkronen der Silberpappeln die Spitze der Gutskapelle.

„Ich möchte dir eine Geschichte erzählen",
sagte mein Vater. „Die Zeit ist jetzt gekommen. Es
ist die Geschichte von der sonderbarsten
Begegnung meines Lebens.

*Es war einmal in Paris, am Ende einer weißen Nacht,
da bin ich einem alten Mann begegnet. Er hatte einen
sonderbaren Namen, der mir „M" anfing. Anfangs hätte
sich daraus ein jedes dieser sinngetränkten Gespräche
entwickeln können, wie sie unter roten Barlampen üblich
sind. Genauso hätte daraus eine aufgeregte Diskussion
entstehen können, von der man am nächsten Tag nur noch
die Hälfte erinnerte. Doch es kam anders.*

*Bald nämlich schüttete ich dem Alten mein Herz aus,
als würde ich ihn mein Leben lang kennen. Ich war damals
furchtbar unglücklich, weil ich Paris verlassen musste. In der
Heimat verlangte man nach mir, dem Erben. Daraufhin
fragte mich der Alte flüsternd, gleichsam klangvollendet,
nach meinem Namen und wollte wissen, woher ich kam.
Normalerweise wäre mir das jetzt unangenehm gewesen.
Schließlich verlangte er, dass ich meine Identität preisgab,
nachdem ich so viele Details von meiner Familie und mir
verraten hatte. Doch sein Gesicht wirkte vertrauensvoll
erprobt, als wäre es viele Jahrhunderte alt, und nur eine
Technik, ähnlich des Gerbens, hätte es über die Zeit
hinwegretten können. Ich sah in des Alten dunkle Augen,
sagte meinen Namen und woher ich stammte. Der Alte
nickte. Dann wies er mich an, mich zu setzen, und begann
eine Geschichte zu erzählen, die sich vor langer Zeit im
Palast des Königs von Salem genau so zugetragen hatte; dort
also, wo sich alle Weisen des Landes regelmäßig
versammelten, um ihre Belange zu besprechen.*

*Es kam der Tag, da trat ein Fremder vor den König
und fragte ihn nach dem Geheimnis des Glücks. Der König
wollte wissen, woher er kam und wer er war. Als der
Fremde ihm seinen Namen nannte, bot der König ihm eine*

Prüfung an. Man reichte dem Fremden einen Löffel und König Salem träufelte persönlich zwei Tropfen kostbares Öl darauf. Nun sollte der Prüfling zwei Stunden durch den Palast wandern und darauf achtgeben, keinen Tropfen zu verschütten. Zwei Stunden waren vergangen, da tauchte der Reisende mit gesenktem Kopf vor dem Thron wieder auf. Der König von Salem erkundigte sich, wie es ihm ergangen sei, ob er sich den Palast gut angeschaut habe: all die verzierten Springbrunnen, die rotgoldenen Pflanzen und Skulpturen aus Marmor.

„Nein, mein König", sagte der Fremde, „nichts derlei habe ich gesehen."

Dann solle er sich wieder auf den Weg machen, entschied der König, und sich alles genau anschauen. Er gab wieder zwei Tropfen Öl auf den Löffel und verabschiedete den Fremden für weitere zwei Stunden. Beim zweiten Mal lief der Prüfling aufgeregt in den Thronsaal: Nun könne er all die Wunderwerke bezeugen und wolle schwören, dass dies der schönste Palast sei, der jemals auf Erden gebaut werden könne! König Salem aber zeigte auf den Löffel. Nun kam der Fremde schwer in Bedrängnis. Er hatte die Tropfen verschüttet. Da sprach der König, nicht nur zu dem Reisenden, sondern zu allen, die sich in seiner Thronhalle aufhielten:

„Genau das ist das Geheimnis des Glücks: Allen Schätzen dieser Welt mit offenem Herzen begegnen zu können, aber gleichzeitig die zwei Tropfen Öl in Ehren zu halten, die für das Wertvollste im Leben stehen."

Mein Vater legte eine Kunstpause ein.

„Weißt du, Georg, ich habe in meinem Leben genau erkannt, wofür *meine* Öltropfen stehen!"

Vater zog mit der Reitgerte einen Bogen über die Felder, sein Gesichtsausdruck gewann dabei etwas soldatisches, hartes, hoch ehrenvolles.

„Der Erste steht für meine Heimat."

Dann sah er mich liebevoll an.

„Und der Zweite seid ihr, meine Familie. Jetzt verstehst du sicher besser, warum mir eine Sache wichtig ist und bleiben wird; dass die Tür zur Welt in Plasbalg immer offen steht!"

Ich nickte.

32

Währenddessen wäre es für Helene am besten, wenn einer sie rufen würde. Sie selbst befand sich zu weit ab vom Geschehen, als dass sie Brelow oder einem anderen Dienstboten ein Zeichen geben könnte. Sie hätte nur zu gern die Runde verlassen. Warum schickte ausgerechnet jetzt keiner nach ihr? An jedem anderen Tag kam Brelow mindestens fünf Mal vorbei und richtete Helene aus, dass sie in einer halben Stunde, in zehn Minuten oder auch sofort, hierhin oder dorthin kommen solle. In den letzten Tagen der Vorbereitung fürs Fest war das bestimmt doppelt so oft vorgekommen.

Zur selben Zeit überfiel Luise eine sonderbare Unruhe. Sie hatte das Gefühl, unbedingt mit ihrer Schwester reden zu müssen. Also gab sie Brelow ein Zeichen, dass er zu ihr kommen möge.

„Brelow, wärst Du so freundlich, und sagst meiner Schwester, dass sie zu mir kommen soll?"

Brelow schaute sich um, wo die Comtesse Helene sich aufhielt, und ergab sich, als er sie nirgends entdecken konnte, seinem gewohnheitsmäßigem Schicksal, nun das ganze Schloss absuchen zu müssen, während dringende Arbeiten liegenblieben.

„Sie ist auf der hinteren Wiese bei den Tennisspielern", erklärte Luise. „Sag ihr doch bitte, ich hätte etwas sehr Wichtiges mit ihr zu besprechen, und zwar sofort!"

Brelow steuerte auf die Gruppe zu, die einen konspirativen Kreis gebildet hatte. Dann blieb er am Rand stehen und räusperte sich. Die Herren schauten erschrocken auf. In ihrer Mitte drehte Theresa hastig ein Papier auf seine Rückseite. Brelow verbeugte sich und richtete der Comtesse Helene den Wunsch der Schwester aus. Erstaunt beobachtete er nun, wie die Comtesse umgehend reagierte. Das hätte jetzt auch länger dauern können. Die Comtesse Helene hätte ihn mit dem Auftrag zurückschicken können, zuerst in Erfahrung zu bringen, was genau die Schwester wollte, bevor sie ihre eigenen Angelegenheiten dafür unterbrach. Schließlich könnte sich die Schwester ebenso in Bewegung setzen, wenn es denn so wichtig war. Brelow kannte das Spiel. Aber nein, so verhielt es sich heute gar nicht, im Gegenteil: Die Comtesse Helene sprang sofort auf, ließ sich entschuldigen und lief dann in genau einer Linie vor ihm her, sodass Brelow schon Mühe hatte, ihr nicht in die Hacken zu treten.

Als Helene noch gute fünf Meter vom Terrassentisch entfernt war, deutete ihr Luise an, zu bleiben, wo sie war, weil sie unter vier Augen mit Helene sprechen wollte. Sie erhob sich, nickte jedem in der Runde kurz zu und verließ den Tisch. Auf ihrem Weg zu Helene wurde sie von zwei Gästen unterbrochen. Es waren die beiden Mädchen von der Picknickdecke, welche die eine nun sorgfältig zusammengefaltet unterm Arm hielt und wissen wollte, wohin sie die Decke zurücklegen dürfe, sie wollen sich allmählich auf den Weg machen.

„Ganz allerliebst", sagte Luise, nahm die Decke und erkundigte sich, dies bereits schon im Gehen, ob die zwei sich schon bei ihrer Schwester verabschiedet hätten? Das hatten sie noch nicht getan und ließen sich bereitwillig mitnehmen.

Bei der Verabschiedung schnatterten sie aufgeregt, herzten und drückten, erst Helene und dann Luise, wieder Helene. Nein, so ein großartiges Fest hätten sie noch nie erlebt! Sie hätten sich so gut amüsiert! Sie wüssten ja gar nicht, was man davon überhaupt zu Hause erzählen durfte und was nicht! Dabei beäugten sie Helene neugierig und widmeten sich schnell wieder Luise. Als die zwei gegangen waren, schüttelte Helene den Kopf.

„Was für blöde Hühner! Denen ist nicht zu trauen."

„Ach was", meinte Luise, die in Gedanken schon ganz woanders war, „das sind doch ganz Liebe, alle Beide."

„Das sagst du doch jetzt nur, weil die eine Jochens Vettern heiratet", blaffte Helene ihre Schwester an, „und du auf der Hochzeit eingeladen werden willst."

Luise funkelte sie böse an, doch Helene hatte bereits andere Sorgen. Nachdenklich schaute sie den beiden hinterher.

„Meinst du, sie wissen Bescheid?"

Mit dieser Überlegung traf Helene einen gereizten Nerv. Selbstverständlich machte Luise sich Sorgen um den Ruf der Schwester, um ihren eigenen und den der ganzen Familie. Es lag auf der Hand, dass Charles-Édouard von nun an Schlechtes über sie verbreiten würde. Er musste schließlich rechtfertigen, dass er hinausgeworfen worden war. Luise konnte sich nur darüber beruhigen, dass dort, wo es drauf ankam, seine Stimme wenig zählte. Seine Bemühungen, der Familie Plasbalg zu schaden, würden alsbald an der aristokratischen Empfindlichkeit scheitern, die einem Außenstehenden *per se* kein Urteil erlaubte. Sollte er es aber dennoch wagen, mit Intimitäten hausieren zu gehen, würde ein Charles-Édouard sich mehr schaden als nutzen, und wenn er doch die Wahrheit sprach.

Wer in offener Runde pikante Informationen über ein Standesmitglied preisgab, bewies damit nur, wie wenig er sich mit dem dichtvernetzten Kreis der alten Familien auskannte. In ihren feingestimmten Ohren klangen solche Reden so primitiv wie die eines Waschweibs, das über den Fürsten zu klatschen hatte. Letztendlich würde ein *Charles-Édouard Münchheimer* sich damit den Verdacht der Illoyalität aufhalsen, den sie gegen jeden hegten, der offensichtlich nicht mit den Vorzügen eines hohen Standes geboren war; wobei das Visier für einen solchen scharfgestellt war und schon ein papageienseidener Schal alles verraten konnte, was es über seinen Träger und dessen schändliche Dekadenz zu wissen gab.

„Sie dürfen es niemals erfahren", warnte Luise. „Du darfst es niemandem erzählen, hörst du? Auch nicht deiner Theresa. Und wenn dich einer fragt, dann streitest du alles ab. Es ist nie passiert!"

„Theresa würde ich sowieso nichts erzählen", behauptete Helene. „Ich kann sie nämlich nicht mehr ausstehen."

„Warum bist du eigentlich so unfreundlich?"

Helene zeigte mit dem Finger auf die Gruppe um Theresa. „Die regen mich schrecklich auf. Wie die über Jule reden, ist eine Unverschämtheit."

„Über wen?"

Helene schnalzte mit der Zunge, dass außer ihr sich anscheinend keiner Jules richtigen Namen merken konnte.

„Jule oder Josy – ich meine die Tänzerin."

Luise schnappte nach Luft.

„Für diese Person würde ich an deiner Stelle nicht die Hand ins Feuer legen"

Wieso? Was hatte Luise jetzt schon wieder auszusetzen? Jule hatte sich Helene gegenüber sehr freundschaftlich und lieb verhalten.

„Freundschaftlich nennst du das?"

Die Schwestern fixierten einander eisern und keine ließ von der anderen ab, bis Luise die Bombe einschlagen ließ.

„Dann will ich dir mal verraten, aus wessen Bett ich heute morgen deine liebe Jule geholt habe."

Helene überlegte, aus dem Bett des Bruders vielleicht?

„Aus dem Bett von deinem Charles-Édouard."

Helene musste fest schlucken. Konnte Jule sie derart hintergangen haben? Obwohl sie doch gewusst hatte, wie viel Helene an Charles-Édouard lag? Leider ließ Luises ernste und zugleich traurige Miene keinen Zweifel zu. Helene war schockiert. Vorhin war Jule doch noch so lieb zu ihr gewesen! Sie hatte Helene in den Arm genommen und getröstet! Das hatte bisher noch keine getan! Nicht Theresa, nicht die Mutter – wie sollte die auch, Mutter wusste ja von nichts – und auch nicht Luise. Helene drehte den glitzernden Reifen um ihren Arm hin und her und wollte gleich wieder anfangen zu weinen.

„Nicht hier", sagte Luise streng.

Helene zog geräuschvoll die Nase hoch und sah ihre Schwester an.

„Am besten ist wohl, ich ziehe mich jetzt zurück bis die Gäste abgefahren sind. Ich kann nicht mehr."

Aber Luise schüttelte den Kopf und erinnerte sie daran, dass ein Gastgeber sich nicht wegschleichen durfte, sondern sich um seine Gäste kümmern musste.

„Außerdem ist es schon beschlossene Sache, dass einige ihren Aufenthalt verlängern werden. Es wird heute Abend nochmal ein gesetztes Essen geben."

Helene glaubte sich verhört zu haben. Wie sollte sie sich in ihrer Verfassung noch um die Unterhaltung der Gäste kümmern? Das würde sie nicht durchstehen. Sie brauchte dringend Ruhe. Von Helenes verzagtem Gesichtsausdruck milde gestimmt, stand Luise es ihr zu, dass sie sich jetzt eine Auszeit nehmen durfte.

„Hauptsache du bist heute Abend wieder frisch."

Wie Luise das sagte, klang dringlich. Helene wurde misstrauisch.

„Ist es heute etwa so weit? Wollt ihr eure Verlobung verkünden?"

„Darüber spricht man nicht", wehrte Luise ab, wenngleich ihre Augen die Vermutung für wahr erklärten. Helene trat einen Schritt näher, damit die Schwester es ihr ins Ohr flüstern konnte. Erst wehrte sich Luise gegen den Vertrauensdruck, den Helene damit aufbaute, doch dann erlag auch sie der lieben Schwäche, mit der sich zu verschweigende, aber gute Nachrichten besonders schnell verbreiteten.

„Jochen will Vater heute fragen", flüsterte sie.

Als hätte ein Vögelchen es ihm gezwitschert, schob Jochen nun seinen Kopf zwischen die Schwestern und forderte beide auf, mit ihm zu kommen: Beim Kartentisch fehlten noch Spieler. Helene witterte ihre Chance, von der großen Schwester freizukommen.

213

„Macht ihr mal!", rief sie und lief los. Jochen zog ein komisch betrübtes Gesicht, das sich allerdings wieder aufklärte, als Luise seinen Arm nahm, um ihn zum Kartenspiel zu begleiten.

Helene lief über den frisch geharkten Kiesweg entlang der Fassade. Im Park würde sie nur wieder Theresa und ihren Hyänen begegnen. Bei den Stufen zum Gartenlaubenzimmer erreichte sie die vorerst letzte Möglichkeit, ins Haus abzubiegen und sich in ihr Zimmer zu begeben. Allerdings könnte Mutter sie dort leicht finden. Der mütterliche Blick hatte heute mehrmals eindringlich auf ihr geruht, als wolle er erforschen, was hier nicht stimmte. Sollte aber die Mutter Helene zu fassen bekommen, würde sie wissen wollen, was los war, – nicht ahnend, dass sie unmittelbar vor dem Schock ihres Lebens stand. Helene entschied sich für den schmalen Trampelpfad, der durch den Kletterrosengarten führte, wobei sie ihr Kleid sorgsam zusammenhielt, damit der feine Stoff nicht in Mitleidenschaft gezogen wurde; ach wäre sie doch mit sich selbst auch mal so umsichtig gewesen!

Helene lief zu dem einzigen Ort, bei dem sie sich sicher sein konnte, dass man sie dort weder hören noch sehen konnte. Dort ließ sie sich auf ihre alte Baumschaukel fallen. Tränen umspülten ihre Nase. Dann sank ihr Oberkörper hinab auf den vertrauten Stamm. Bar jeglichen Gedankens lag ihr Blick auf den weißen Seerosen, die lieblich über die Wellen schipperten. Dann wanderte er hinaus auf den See, wo ein Schwanenpaar das schöne Wetter nutzte, um seine Jungen auf einen Ausflug zu führen. Plötzlich stand für sie fest: Nach allem, was sie letzte Nacht mit Charles-Édouard hatte erleben müssen, konnte das keine wahre Liebe zwischen ihnen gewesen sein. Ihre Augen folgten dem Flug eines Fischadlers, der hoch in den Lüften seine Kreise zog. Aber wo war sie dann, die wahrhaftig leuchtende Liebe? Wie offenbarte sie sich? Den Gefühlen war hierbei wenig zu trauen. Sie regten sich beim einen wie beim anderen. Helene hatte sich schon oft schwören müssen, ihren Verliebtheiten nicht mehr zu trauen. Wozu auch, wenn alles immer nur vergänglich blieb? Da trug es sich ihr als einzige Lösung an, alle aufreibenden Aktivitäten von nun an ruhen zu lassen, weil Liebe sich ebenso wenig einfordern ließ wie Gottes Segen.

Ihre Seele verharrte in stiller Demut. Da entfuhr ihrer Brust eine sonderbare Melodie, die Helene noch nie zuvor gehört hatte, und ihr Geist schwebte über den Wassern, als wäre es am Anfang aller Zeit. Endlich erbarmte man sich ihrer und schickte ein Zeichen: dies in der Erkenntnis, dass Liebe göttlich war. Immerdar. Und somit auch für jeden auffindbar.

33

Als ich neben Vater durch das schmiedeeiserne Tor ritt, sah ich für einen kurzen Moment Helene bei der alten Weide sitzen. Vater schien sie nicht bemerkt zu haben. Jedenfalls schöpfte er keinen Verdacht, als ich mich, kurz nachdem wir abgesessen waren, mit der Erklärung verabschiedete, einen Moment allein sein zu wollen. Stattdessen stand er mir mit dem Liebreiz einer Mutter vor dem Kinde gegenüber und sagte:

„Das sollst du man machen."

Ich glaube, wir waren beide froh, dass der Stallmeister kam und keine Zeit blieb, rührselig zu werden. Dann lief ich hinunter zum Seeufer. Helene lag auf dem schrägen Stamm der Weide und hatte mir den Rücken zugekehrt. Ich rief ihren Namen, doch sie reagierte nicht. Erst als ich schon neben ihr stand, schaute sie kurz auf.

„Hab dich doch gehört", flüsterte sie.

„Hab ich mir gedacht."

Ich setzte mich ins Gras und warf nacheinander kleine Steinchen ins Wasser.

„Du siehst verstört aus", sagte Helene.

„Du auch."

Helene zuckte mit den Achseln.

„Was ist es bei dir?", fragte sie.

„Du zuerst."

Helene schwieg und sagte dann nur einen Namen, einen Namen mit Bindestrich. Ich nickte und konnte gut verstehen, dass Helene damit schlecht zurechtkam.

„Jetzt du."

Ich überlegte und versuchte, alle Unvollständigkeiten der letzten drei Tage zusammenzuzählen.

„Ich glaube, ich stecke in einer schwierigen Phase."

„Warum?", fragte Helene.

Das wusste ich auch nicht.

„Das Leben ist schon komisch", sagte ich.

Helene seufzte: „Aber wirklich."

Dann stand ich auf, zog meine Schuhe aus, lief ein paar Schritte ins Wasser, blieb stehen, schaute auf den See und sagte, … nichts.

Nachtrag

An diesem Samstag Abend war der Londoner Auktionssaal so voll wie noch nie in diesem Jahr. In den Vorräumen drängelte man sich vor den Bildschirmen, die *live* übertrugen, was im Saal vor sich ging. Drinnen brachte der Auktionator ein Gemälde nach dem anderen unter den Hammer: vierhunderttausend, achthunderttausend, eins, zwei, fünf Millionen. Die Bietschilder ragten wie Wunderkerzen aus der Menge. Der allgemeine Puls konnte sich erst wieder beruhigen, als mehrere niedrig geschätzte Werke an die Reihe kamen, deren einziger Zweck darin lag, die Aufmerksamkeit für die Meisterwerke der klassischen Moderne erneut zu schüren.

Zwischen juwelenbehängten Dekolletés und knitterfreien Maßanzügen hatte sich ein Mann eingefunden, der von seinem Umfeld als exotischer Außenseiter wahrgenommen wurde. Sein aufgeriebener Kragen erweckte zwar den Eindruck, dass es sich um einen englischen Lord vom Lande handeln könnte. Allerdings musste man dies wieder korrigieren, wenn der Blick zu den ausgebeulten Lederschuhen wanderte, für die ein Engländer seinen Pass hätte abgeben müssen. Der Fremde hielt zwar auch eines der begehrten Bietschilder in der Hand. Doch er zeigte keinerlei Interesse am Geschehen um ihn herum. Er wollte nicht kaufen. Er wollte das Geld. Endlich trug ein blasses, weiß behandschuhtes Mädchen sein Angebot auf die Bühne. Es wurde still im Saal und selbst der Auktionator, an dessen jungenhaftem Gesicht kein Erstaunen und kein Entsetzen über einen Verkauf je hängenzubleiben schien, räusperte sich und trank einen Schluck Wasser. Dann schwang er den Hammer. Die Schlacht begann. Bald spaltete der kubistische Frauenakt von 1921 die Bieter in mehrere Parteien. Neunhunderttausend! Zwei Millionen! Fünf Millionen! Zwei Bieter am Telefon und einer im Saal stritten erbittert weiter. Vor der Auktion hatte man ihm mit ministrablen Lächeln vier Millionen versprochen, gnädig die untere Taxe auf drei angesetzt, doch der Markt war höherer Meinung.

Nach der Versteigerung war er ein reicher Mann. Der Käufer gratulierte ihm und gab ihm seine Visitenkarte, falls er das Werk besuchen wollte. Er nahm die Karte aus dickem Büttenpapier. Besser wäre es andersherum, dachte er, und drückte dem Käufer seine eigene Karte in die Hand und sagte, dass er sich melden solle, falls ihn interessiere, wo das Bild einmal gehangen hatte. Dann schüttelte er ihm die Hand, drückte sie fest und sagte mit einem strahlenden Siegerlächeln:

„Life is full of surprises. Good luck with that!"

Am nächsten Morgen nahm er die erste Maschine nach Berlin. Mietwagen ab Tegel. Er sammelte seine Frau ein, die Kinder und die alte Tante, die im Hotel gewartet hatten, und weiter ging es auf einer holprigen Autobahn gen Norden. Zwei Stunden später verließen sie die Autobahn und fuhren die nächsten fünfzig Kilometer über Plattenweg. Dann ging es inmitten der weitläufigen Felder hinauf auf einen für die Gegend ungewöhnlich steilen Hügel. Diese Stelle erinnerte er als besonders gefährlich. Beim letzten Mal war ihm hier ein Mopedfahrer entgegengekommen, dem er nur dadurch hatte ausweichen können,

219

indem er seinen Wagen herumgerissen hatte. Dabei hätte er fast den gewaltig großen Findling gerammt, der oben auf der Kuppe neben der schmalen Straße lag.

Hinter dem Hügel fuhren sie an einem zerkratzten Straßenschild „Plasbalg 2 km" vorbei. Dann bogen sie auf das abgesenkte Kopfsteinpflaster der Dorfstraße ein. Die Sonne stand jetzt an höchster Stelle. Ihr Strahlen glitzerte im See. Ein abgesenkter Holzpfeil, den Wind und Wetter spröde gemacht hatten, wies eine Schlossruine nach rechts unten aus. Fünfzig Meter weiter parkte er den Wagen. Von hier aus führte, zwischen hohen Brennnesseln hindurch, ein schmaler Trampelpfad hinein ins verheißene Land. Diesen Weg hatte er bei seinem ersten Besuch entdeckt. Damals war er allein hierhergekommen, aufgeregt, weil er gleich mit eigenen Augen sehen sollte, woran das Herz seines Vaters bis zum letzten Schlag gehangen hatte. Bei seiner Ankunft aber hatte sich das Eldorado der Erinnerungen in einen Haufen schimmelnden Stein verwandelt. Zwischen wahllos angebrachten Schornsteinen war das Dach an mehreren Stellen eingebrochen. Wo der Putz noch vorhanden war, hatte der Regen die gelbe Farbe ausgewaschen. Dazwischen klafften die Grundmauern wie offene Wunden in der Fassade. Alle Fenster waren eingeschlagen. Im Erdgeschoss hatte man die leeren Rahmen mit Brettern vernagelt.

Durch den Seiteneingang ließen sich noch zwei Räume betreten, aber auch nur dann, wenn man das gelbe Schild „Vorsicht – Einsturzgefahr" ignorierte. Im ersten Raum standen Regale eines verlassenen Konsums. In den Ecken verrotteten Waschpulverkartons. Im zweiten Raum hatten

Jugendliche schwarze Totenköpfe und schwarze Herzen an die Wand geschmiert. Dahinter dann, hinter einem Berg aus Hausmüll, der den rissigen Plastiktüten längst entflossen war, stand ein historischer Pferdeschlitten mit einem eingeschnitzten Wappen auf der Klapptür. Der schien als Einziger etwas von ihm und seinem Auftauchen hier zu wissen.

Tief ergriffen hatte er Plasbalg damals wieder verlassen. Er kannte das Schicksal von anderen Familien, die ähnliche Erfahrungen mit den Ruinen ihrer Elternhäuser hatten machen müssen. Die meisten kehrten danach mutlos in ihre westdeutschen Existenzen zurück und versuchten höchstens noch das Land oder den Forst mit Alteigentümeransprüchen zu erwerben.

Doch er wollte mehr.

Die sieben Stunden Autofahrt nach Hause ins Münsterland erinnerte er später als eine Berg- und Talfahrt zwischen Glauben und Zweifel an den Aufbruch in ein neues Leben. Denn, wenngleich er es nie anders gekannt hatte – schließlich war er nach dem Zweiten Weltkrieg erst geboren –, hatte sein Leben im Westen immer schon etwas Vorläufiges, etwas Oberflächliches gehabt. Obwohl er dort ein Haus gebaut hatte, einen Baum gepflanzt, er dort morgens seine Kinder in der Schule absetzte und seine Frau nebenan die Rechnungen schrieb. Wie würden sie auf seine Ideen reagieren? Doch es gab Dringlicheres zu überlegen, bevor er sich der familiären Umpflanzung widmen konnte. Zuerst musste er wissen, wie er den Wiederaufbau des Familiensitzes finanzieren könnte. Er könnte seine Praxis verkaufen! Und sein Haus! Aber das würde nicht reichen. Nach Stunden des Grübelns führte die

Autobahn durch ein in Abendrot getauchtes Tal. Da kam ihm die Lösung. Das Bild! Das Bild, das sein Vater abgöttisch geliebt und ihm nach seinem Tod vererbt hatte. Das Bild, vor dem schon viele Kunsthändler in die Knie gegangen waren. Vaters Bild! Er könnte es verkaufen und mit dem Geld das Schloss wieder aufbauen.

Im Schatten des nächsten Berges, den er mit zweihundert Stundenkilometern hinaufjagte, kam ihm plötzlich der Zweifel, ob ein Verkauf im Sinne des Vaters sein konnte. Dann aber, oben auf der Kuppe angekommen, erfasste ihn die göttliche Wucht eines rotgelbviolett durchtränkten Sonnenuntergangs. Da leuchtete in ihm die Sicherheit, dass es nichts auf der Welt gab, das Vater sich mehr gewünscht hätte.

Und nun, kein halbes Jahr später, war der große Moment gekommen: Er führte seine Familie zurück auf alte Pfade, glücklich wie ein Kind vor der Bescherung. Die Reisegruppe kam ihm kaum hinterher. Auf halber Strecke stoppte seine alte Tante und zeigte mit dem Finger auf eine dichte Böschung.

„Können wir bitte zuerst hier entlanggehen?", fragte sie. „So müssten wir zur Kapelle kommen."

Er drehte um und schlug mit seinem Stock einen neuen Weg durchs Gestrüpp. Plötzlich stakte vor ihnen ein eisernes Kreuz aus den Blättern hervor, daneben ein zweites, ein drittes fand sich am Boden.

„Hier muss es gewesen sein", sagte Tante Helene.

„Was ist hier gewesen?", fragten die Kinder.

Tante Helene antwortete nicht, sondern stapfte tapfer weiter.

„Irgendetwas muss doch noch übrig sein", murmelte sie vor sich hin und stoppte dann plötzlich, wobei von außen nicht ersichtlich war, was sie dazu bewogen hatte.

Sie hielt inne.

„Hier", sagte sie und ihre Stimme bebte, „an dieser Stelle muss es vollbracht worden sein."

Die tiefen Falten um ihr Kinn begannen zu zittern, doch sie weinte nicht, sondern drosch mit einer für ihr Alter erschreckenden Kraft auf die Pflanzen um sich herum ein, als sprieße in ihnen alles Übel dieser Welt. Dann sackte sie in sich zusammen. Keiner sagte mehr ein Wort. Selbst die Kinder hielten still und schauten erschrocken ihre Tante Helene an, die sie nur fröhlich und lachend kannten. Nach einem Moment der Stille drehte Helene sich langsam um.

„An dieser Stelle soll der Gedenkstein für Luise und die Eltern stehen."

Er nickte. Seine Frau trat dicht an ihn heran und legte ihren Kopf auf seine Schulter. Eine Träne rollte auf sein Hemd. Sie kannten beide die Geschichte von Tante Luise und seinen Großeltern. Sie hatten es nicht geschafft, sie hatten nicht gekonnt!

Damals galt sein eigener Vater noch als im Krieg verschollen, wie so viele, die in Gefangenschaft geraten waren. Da beschloss man, Tante Helene in den sichereren Westen zu schicken, damit sie nicht den Russen in die Hände fallen konnte. Tante Helene hatte den Zug nehmen müssen, auch wenn sie lieber in Plasbalg geblieben wäre. Aber Tante Luise, gegen deren Willen keiner etwas ausrichten konnte, hatte sie in den Waggon gezwungen. Hatte ihr vorgelogen, dass sie nachkommen würden. Aber sie kamen nicht nach.

An eine Flucht war nicht zu denken. Der alte Graf Plasbalg hätte einen Treck niemals überstanden, denn er litt unter einem fortschreitenden Leiden, das ihm in schmerzhaften Schüben jede Beweglichkeit untersagte. Stattdessen wählten die Großeltern und Luise, als die Nachrichten immer grausamer wurden und das Schlachtfeld schon zu hören war, die Pistole.

Wie betäubt lief Tante Helene weiter, einfach immer nur weiter. Die Kinder überholten sie und schlugen mit ihren Peitschen, die sie sich von den dünnen Birken abgezweigt hatten, einen Weg durch die Brennnesseln. Schließlich stießen sie genau dort auf das Ufer, wo eine alte Weide ihre Äste in das grüne Wasser streckte.

„Wow, ist das schön hier", staunten die Kinder.

Tante Helene nickte; das war es, aber wirklich.